0・1・2歳児の
学びと育ちを支える

保育室のつくり方

―5つのゾーンで構成する保育環境―

編著　鈴木八朗

チャイルド社

はじめに

私は、以前は虐待や暴力といった社会的養護系の仕事をしていましたが、そこから保育の仕事に移って二十年近くが経ちました。一人ひとりの子どもに丁寧に対応する個別性の高い保育をめざし、その実践を発信していく中で、ここ数年、全国の園長先生や保育者の方々と交流する機会が増えました。公開保育や実践発表を行いながら様々な方と意見交換する中で、0・1・2歳児の保育環境のつくり方に悩む現場の声が、予想以上に多いことが気になりました。

実際、0・1・2歳児を対象にした保育の需要は高く、その「保育環境」に関する書籍は数多く出版されていますし、インターネットを覗けば他園の様子を目にすることもできます。しかしながら、多くの子どもを保育室に詰め込むような保育が、なんの疑問もなく展開されている現実があります。一方で、「環境を通した保育」をめざすべきだと頭ではわかっていても、現実には、自身が頑張ることでしか問題の解決をめざせず、思うような結果が得られないことで疲弊したり自分を責めたりしている保育者の姿を見ることも少なくありませんでした。

なぜこのようなことが起こっているのかを考えてみたところ、0・1・2歳児の保育環境を示す基準や、子どもの学びや育ちに即した具体的な保育室のつくり方を示すものが、あまり見当たらないことに気が付きました。

全国には、大きな園庭をもつ広い保育室、ビルの中の保育室、四角い保育室、細長い保育室、さらにL字に曲がった保育室など、設置基準を満たしてはいるものの、様々な条件下で保育が行われています。しかし、どのような保育室の形態であっても、保育者は子どもの学びと育ちを保障しなければなりません。

そこで、「保育環境の原理・原則」を整理してまとめてみたい、という想いが湧き上がりました。

私は、建築や設計の専門家でもなければ、保育士の資格もないただの園長ですので、理論的な裏付けは全くありません。しかし、園の立ち上げから十八年間、試行錯誤の連続で、そこから生まれた臨場感たっぷりの「失敗と反省の歴史」という財産をもっていました。日頃から意見交換や研究発表をさせていただいている園の先生方に相談してみたところ「自分たちもそのような本が欲しかったので、ぜひ、つくろう！」と背中を押してもらい、本づくりが始まったのです。

二〇一八年に改定された保育所保育指針を精読してみると、3歳未満児は個別の対応・活動が重要視されていますし、保育の方法としては「豊かで応答性のある環境」が求められています。子どもが自ら環境に働きかけ、主体的に活動する姿を保障するための「保育室のつくり方」は、保育者の専門性の一つとして、今後ますます重要性が増していくことでしょう。

最後になりましたが、今回の監修を引き受けてくださった大原先生、髙野先生、辻先生、横山さん、お忙しいところ取材にご協力いただいた園の皆様、撮影のために何度も園に足を運んでくださったカメラマンの野澤さん、出版の機会を与えてくださったチャイルド社の富永さんや製作スタッフの方々に、深く感謝申し上げます。全国の保育所・認定こども園などで、この本が末永く保育環境づくりの参考にしていただけましたら幸いです。

鈴木八朗

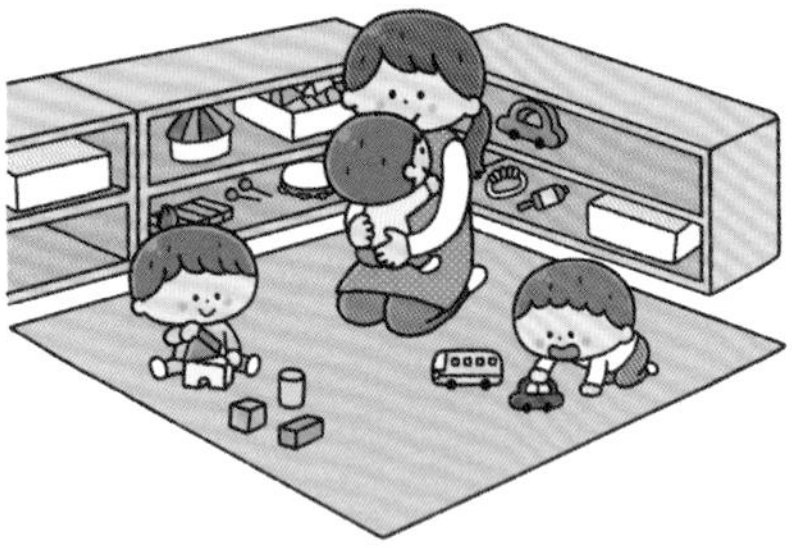

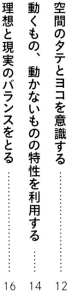

第3章 遊びゾーン

第4章 食事ゾーン

第5章 睡眠ゾーン

第6章 排泄ゾーン

5つの原則

prologue

保育室を構成する

Basic rule 1

「どんな保育をしたいか」を大前提とする

すべての園に当てはまる理想の保育環境は存在しません。保育環境とは、「こんな保育をしたい」「子どもの○○を育みたい」といった保育者の想いを目に見えるカタチにしたものです。

評判のよい園の環境や保育のやり方を見て学ぶことは大切です。でも、見た目だけをまねしても、理想に近付くことはできません。もっとも重要なのは、「なぜこの環境にしたのか」に目を向けることです。

二〇一八年に改定された保育所保育指針では、幼稚園や幼保連携型認定こども園と並んで保育所も「幼児教育を行う役割をもつ施設」として位置付けられました。どの園も「子どもの学びを保障するための環境をどのように構築し、活用しているか」について語れなければなりません。

そこで、私たち保育者が頭に入れておかなければならないのが、小学校以降の学習にもつながるアクティブラーニングの視点です。「先生に言われたことをやる」という受け身の学習ではなく、主体的・対話的な深い学びの経験が、変化の激しい時代を生き抜くための素養を育てます。アクティブラーニングの土台となるのが、子どもの主体性です。

では、0・1・2歳児の子どもが主体性をもてるようになるために、どのような保育が求められるでしょうか。子どもは「生活に必要な技能」が身に付くと、自ら考えて、動けるようになります。自分で食べられる、自分でトイレに行ける、自分で遊びを選べる……そこから、保育環境づくりの糸口が見えてきます。

Basic rule 2

5つのゾーンで考える

保育環境を考える時、遊ぶ空間を中心に考えてしまいがちです。でも、子どもにとっては、遊び以外の生活も含めて、すべてが保育です。

0・1・2歳児の保育では、「生活に必要な技能」を習得することが大きな目標です。そこで、**保育室を活動ごとに、受け入れ・遊び・食事・睡眠・排泄の5つのゾーンに分けて考えてみましょう。**朝の受け入れから始まる一日の生活がスムーズに流れるよう、この5つのゾーンにつながりをもたせることで、子どもが生活の見通しを立てやすくなります。

ここで大切なのが、**子どもにとって「安心・安全である」「わかりやすい」「活動に集中できる」**かどうかです。この3つのキーワードに基づいて、それぞれのゾーンのつながりを考えていくと、自ずと職員の役割分担が明確になり、チームワークも向上します。

現実には、5つのゾーンを別々に確保できるほど恵まれた環境をもつ園は多くはないでしょう。その場合、「遊び」のゾーンを「食事」や「睡眠」にも使用するなど、ゾーンを共有するための工夫が必要です。

限られたスペースの中でよりよい保育環境をつくるには、「外遊びから帰ってくる時にバタバタしてしまう」「食事から午睡の流れがうまくいかない」などの〝困り感〟を、まずは職員同士で共有することから始めましょう。

どうしたらそれを解決できるか、話し合い、工夫する過程で、子どもの育ちには何が大切かを確認し合うことになります。よりよい保育環境づくりには、こうしたプロセスが欠かせません。

保育室を構成する
5つのゾーン
遊び
受け入れ
食事
睡眠
排泄

Basic rule 3

空間のタテとヨコを意識する

人は、わざわざ使い方を説明されなくても、その環境から自然と理解できるような場合があります。「よい」と言われる保育環境に共通しているのは、環境のもつ力を利用した「わかりやすい」空間で、大人の言葉かけがなくても子どもが安心して動ける場です。

空間は、タテとヨコの組み合わせでできています。保育室のレイアウトは、ヨコ（平面）に目が行きがちですが、タテ（高さ）を意識することも大切です。タテのもつ力、ヨコのもつ力を知り、それを組み合わせることで、わかりやすい空間づくりができます。

タテは、子どもたちに「わかる・分ける・禁止」を伝えます。タテの代表には、壁やついたて、ロッカー、棚などがあります。たとえば、部屋の中に棚やついたてを置くと「そこから先は行っちゃダメだよ」というメッセージになります。一方、**ヨコは、「ものを置く、移動する」に加えて「そこに集う」を伝えます。**ヨコの代表には、床やマット、机の上などがあります。

たとえば、大人がマットに座れば、子どもたちはそこに自然と集まります。マットは、「ここで座って遊ぼうね」というメッセージになります。体を大きく動かして遊びたい子どもはマットのない場所で遊び、マットの上に座って静かに遊んでいる子どもの邪魔をせずにすみます。

つまり、床にマットを敷くだけで、「ここで遊ぼうね」と声をかけなくても、そこは「静かに座って遊ぶ場所」だと子どもたちに知らせることができるのです。

Basic rule 4

動くもの、動かないものの特性を利用する

保育室には、タテとヨコという要素のほかに、不動物品（子どもには動かせないもの）と、可動物品（子どもが持ち運べるもの）があります。

子どもの年齢によって、不動物品と可動物品は変化します。たとえば0・1・2歳児のクラスでは、可動物品は棚に置かれているおもちゃなどですが、3歳以上児のクラスになると、机や椅子、マット、ついたてなども自分の力で動かせる可動物品になります。

不動物品や可動物品などの環境に対して、子どもたちはどのように働きかけているでしょうか。そこから、子どもの興味・関心や成長を確認することができます。その姿に応じて、保育環境をさらに変化させていくことが「子どもの姿をベースにした保育計画」と言えるのかもしれません。

粗大遊びの道具は、大人が動かす不動物品です。大人がそれをどこに置くかで、「ここで遊ぼうね」などのメッセージになります。ただし、2歳児くらいになると、0歳児の時にのぼったりおりたりすることに使っていたような、ちょっと重たいものでも自分で運んできて、遊びに使うようになります。

3歳以上児のクラスでは、保育者の働きかけ次第で、子どもたちが自分で可動物品を動かして、保育室をしつらえる姿も見られるようになります。

0・1・2歳児のクラスでは一年を通して同じ保育環境という園も見かけますが、成長による変化の大きい年齢だからこそ、物の移動や出し入れを意識的に行うことで、子どもの発達に合った環境を提供していきましょう。

Basic rule 5

理想と現実のバランスをとる

認可保育所であれば、保育室は設置基準に合わせてつくられています。とはいえ、長細い部屋、L字型の部屋、梁があってデコボコしている部屋、窓が小さい部屋など、保育室の形は様々です。さらに、水回りが悪い、コンセントが少ないなど、使い勝手の悪い保育環境も少なくありません。

しかし、**マイナスの部分ばかりに目を向けて思考を止めてしまっては、保育環境を改善することはできません。ベストが無理でも、ベターをめざすことはできます。**

本書では、家具を使って室内を分ける方法を紹介していますが、既存の園舎には、最初から家具が造り付けられていることも少なくありません。たとえば、保育室の入り口から離れたところに子どもの荷物を収納する棚が並んでいる光景をよく目にします。すると、荷物を入れてもらうため、保護者には部屋の中に入ってもらわざるをえません。一方で、保護者が部屋に入ると、子どもたちが落ち着かず保育の流れが止まってしまうことがあります。

この場合、大人の都合であきらめるのではなく、「まずコストのかからない方法で試してみよう」「思いきって、既存の家具は使わない」など、子どもに合わせた柔軟な発想の転換が求められるでしょう。

工夫された環境には、それを活用する知恵も必要です。知恵を使わなければならない環境は、子どもの成長にも大きな影響をもたらします。理想と現実のバランスをとるのは、なかなか難しいことですが、こうした試行錯誤が保育をアップデートさせていくのです。

CUT UP 5/4
RATE SET
+TAX
RATE CHECK
−TAX
GT
MRC
M−
M+
F 4 3 2 0 ADD2
ON
CA
C·CE

りの基本

第1章

保育室づく

動線の考え方

保育室の理想的な動線とは

空間の中で人や物が動く時に通る経路や方向などを示した線を「動線」と呼びます。動線がスムーズな空間では、人の動作が効率的になるので、心地よく過ごすことができます。

子どもが落ち着かない、泣き声が絶えないなど、保育がうまくいかない理由を保育者のスキルや人手の問題と考えがちですが、実は、保育室の動線に原因があるかもしれません。

保育室の理想的な動線とはどのようなものでしょうか。それは、子どもの生活の流れに沿うようにすることです。

園での子どもの行動を大きく分けると、受け入れ・遊び・食事・睡眠・排泄の5つがあります。この5つのそれぞれのゾーンが1日の流れに沿って配置されているかどうかを見ていきます。受け入れ→遊び→食事→睡眠という流れと、それぞれのゾーンから排泄へ向かう動線です。

ゾーンを共有する場合もありますが、年齢が低いほど、しっかり分けるようにします。「ここは○○をする場所」と、子どもがこれからすることの見通しを立てられるようになるからです。それは、「生活に必要な技能」を身に付けるための第一歩になります。

ゾーンの配置

まず、「睡眠ゾーン」の配置から考えてみましょう。保育室を見渡して、だれもが「ここで眠りたい」と感覚的に選ぶことができる場所を「睡眠ゾーン」にします。次は「食事ゾーン」です。手洗いや配膳台の出し入れのしやすさがポイントになります。睡眠と食事の2つのゾーンが決まると、「遊びゾーン」の位置は自然と決まります。

ゾーンが決まったら、家具を配置して、実際の動きを検証しながら微調整していくとよいでしょう。

1日の流れから動線を考える

受け入れ

子どもが保護者から離れ、「遊び」の世界につながる入口。受け入れの対応をする保育者の居場所も必要。

遊び

遊びの変化に合わせて、フレキシブルに模様替えをする。食事・睡眠ゾーンと共有することがある。

排泄

なるべく、どのゾーンからも行きやすくする。子どものプライバシーにも配慮して、空間をしっかり分ける。

食事

低年齢児ほど、外からの刺激を少なくする配慮が必要。落ち着いて食事ができる環境をつくる。

睡眠

最初に配置を決めると、ほかのゾーンの位置が決めやすい。保育者の目が行き届くよう、ほかのゾーンからの見え方に配慮が必要。

視線への配慮

子どもと大人、両方の視点から見る

室内を家具で仕切る場合に気を付けたいのが、各ゾーンからのほかのゾーンの見え方です。ここでは、60㎝と90㎝の高さの棚で考えてみましょう。

60㎝の棚は、空間をゆるやかに分けたいところに使います。たとえば、床に座って遊ぶ子どもの対応をしながら、棚の向こう側で午睡する子どもを見守るような場合です。

90㎝の棚は、空間をしっかり分けたいところに使います。大人が立って覗くと、棚の向こう側にいる子どもを確認できますが、子どもは見られている感じがしません。子どもがまわりから刺激を受けない、落ち着いた空間をつくれます。

実際に、子どもからはどのように見えているか、保育者に必要なものが見えているか、保育者同士が目線を合わせられるかどうかをチェックしてみましょう。

家具の高さと視線

空間をゆるやかに分ける高さ60㎝の家具

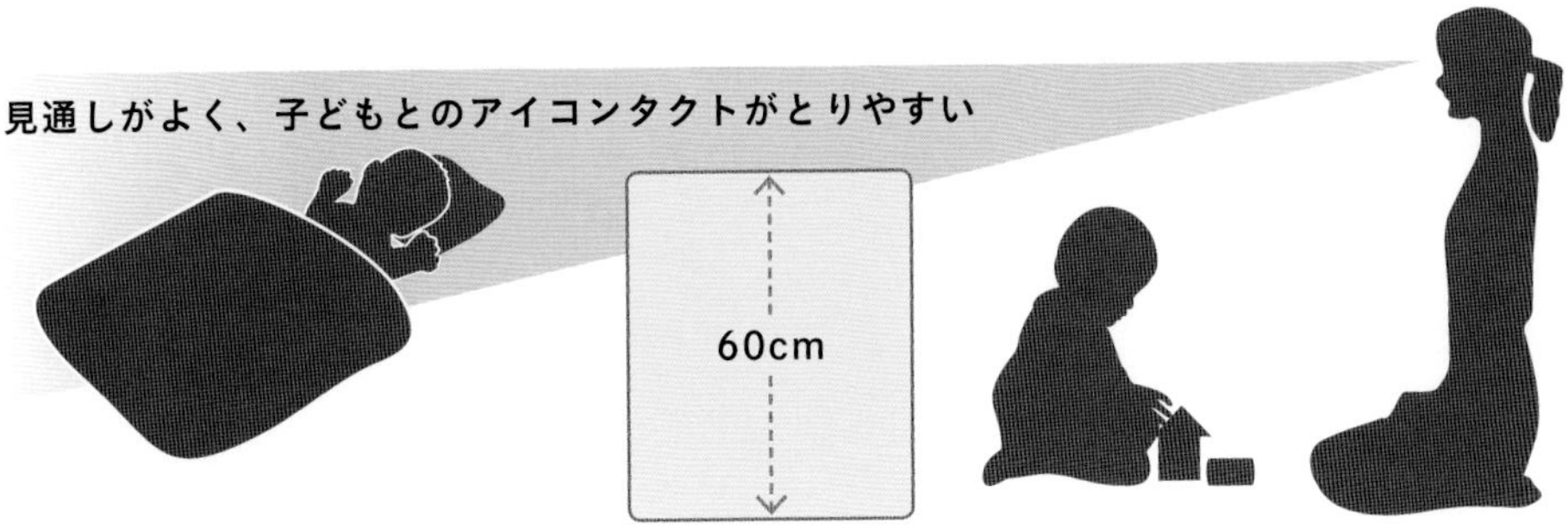
見通しがよく、子どもとのアイコンタクトがとりやすい
60cm

保育者は座っていても向こう側が見える。たてひざで覗けば、下のほうまで確認できる。

家具を挟んでいても、子どもと保育者が視線を合わせやすい。

空間をしっかり分ける高さ90㎝の家具

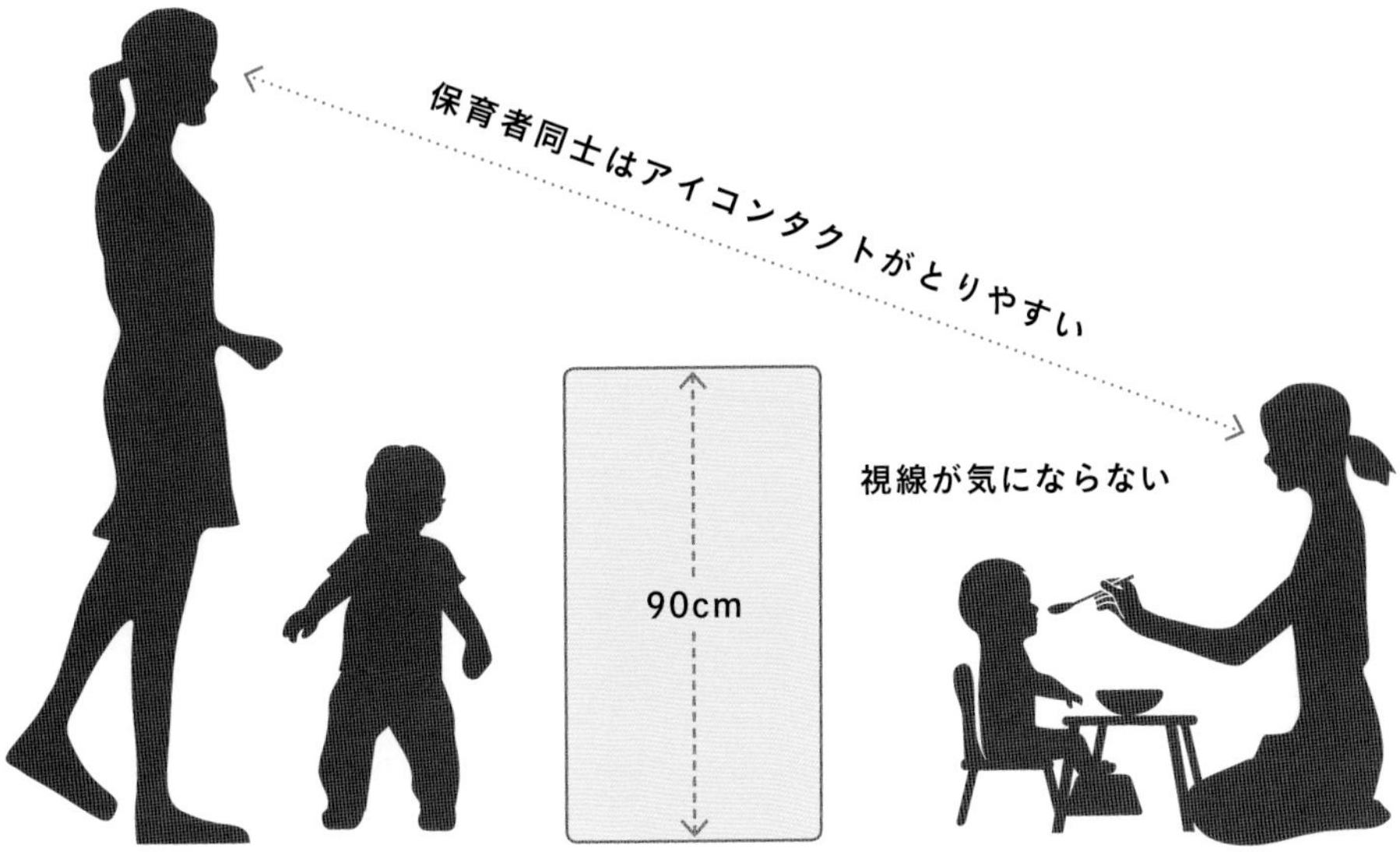
保育者同士はアイコンタクトがとりやすい
視線が気にならない
90cm

保育者は立って、家具の向こう側を覗き見ることができる。
一方、子どもには向こう側は見えない。また、向こう側からの視線も気にならない。

基本の家具

❶衣類整理棚

子どもの着替えなどの荷物を入れる。

❹低いテーブル1

食事や机上遊びに使う。天板が60㎝角程度の正方形で小ぶりのもの。

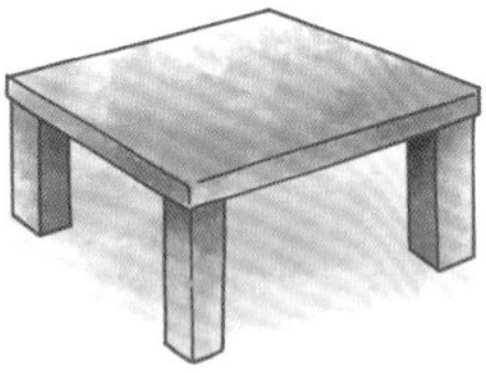

❸低い棚

高さ60㎝×幅90㎝の背板付きの棚。棚板は2段。壁に寄せて使うだけでなく、ゾーンを仕切る時に利用する。

❷高い棚

高さ90㎝×幅90㎝の背板付きの棚。棚板は3段。壁に寄せて使うだけでなく、ゾーンを仕切る時に利用する。

❻椅子

子どもが使うもの。背もたれの有無などの種類がある。

保育室に必要な家具

受け入れゾーンには、登園した子どもの荷物を入れる衣類整理棚（❶）を置きます。

遊びゾーンには、収納棚（❷❸）、マット（⓬）、机上遊び用のテーブルと椅子（❹❺❻）、粗大遊びの遊具などが必要です。

食事ゾーンには、発達の段階に合わせたテーブルと椅子（❹❺❻❼）が必要です。抱っこで対応する場合、子どもが自分で食べる場合、子どもの体の大きさの違いなどで、使う家具が変わります。

睡眠ゾーンには、月齢や人数によって必要な寝具（❿⓫）を用意します。寝具は使い勝手だけでなく、収納場所も考慮します。

排泄ゾーンに置くおむつ交換台は、歩けない子には保育者が立って対応できるもの、歩ける子には子どもが自分で腰かけられる高さのもの（❾）を使い分けられるとよいです。

❽ついたて

気軽に移動させて空間を分ける。連結させて使えるものもある。

❼高いテーブル・椅子

0歳児クラスで授乳や食事に使う。

❺低いテーブル2

食事や机上遊びに使う。天板が60×90㎝角程度の長方形のもの。

※❹❺とは違うアレルギー対応専用の低いテーブルが用意できるとよい。

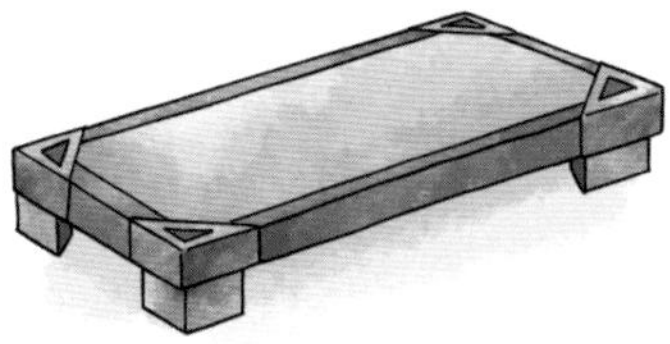

⓫コット
（もしくは、ふとん）

床に敷かないコットは、ふとんに比べて夏涼しく、冬暖かい。衛生面での管理もしやすい。

❿ベッド

歩けない子ども用の柵付きベッド。

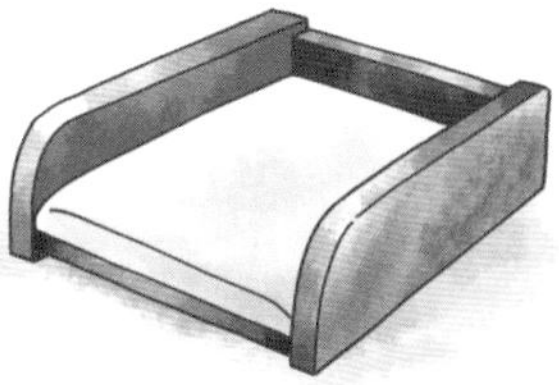

❾おむつ交換台

上のイラストは、子どもが歩いてきて自分で腰かけられる高さ。歩かない子の対応は、保育者が立って交換できる高さのものがよい。

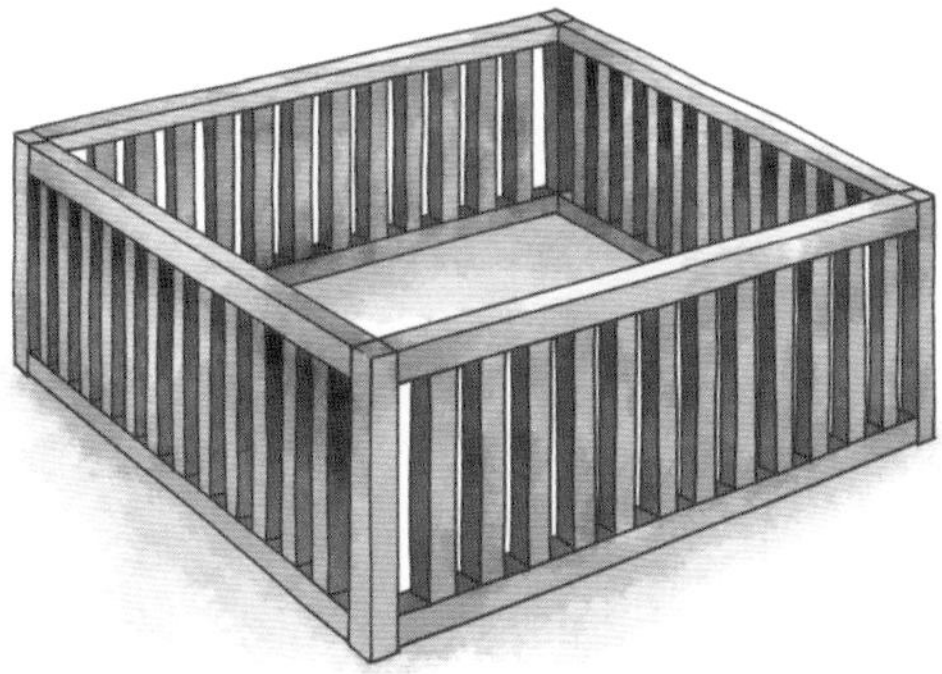

⓭ベビーサークル

歩けない子どもの遊びゾーン。180×180㎝程度のサイズに、保育者1人乳児3人までが目安。

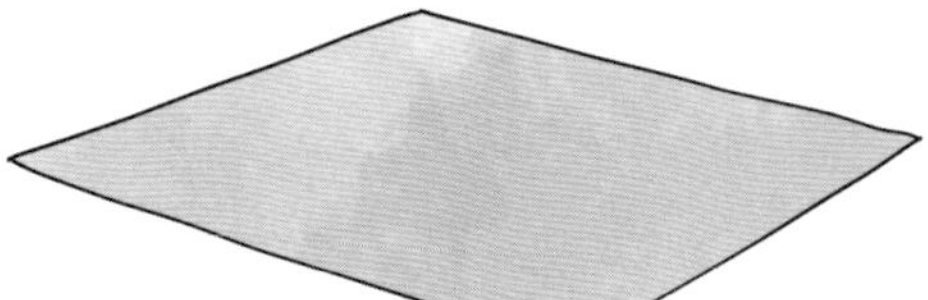

⓬マット

おもちゃで遊ぶスペースに敷く。柄のない、シンプルなものがよい。肌触りよく、積み木を積んでも倒れない素材を選びたい。❷❸の棚とセットにして使う。

0歳児クラスのレイアウト

子ども一人ひとりの生活リズムを把握しながら、ゆったりと丁寧に保育を進めていく時期です。

ここでは、子ども9人、職員3人の部屋を想定してレイアウト例を紹介します(28~29ページ参照)。

まず、睡眠ゾーンの設定から

まず部屋を見渡して、睡眠ゾーンに適している場所を考えます。その部屋の中で、いちばん静かで落ち着ける場所です。

28~29ページで2パターンのレイアウトを紹介していますが、どちらも遊びゾーンから睡眠ゾーンが見えるように、低い棚で仕切っています。遊ぶ子どもを見ている保育者が、寝ている子どもの様子を把握できるようにするためです。

個別性に配慮した食事ゾーン

食事のリズムがそれぞれ違い、まだ食べることに慣れない時期なので、落ち着いて食事ができる環境をめざします。そのため、**食事ゾーンにいる子どもからは、ほかのゾーンの様子が見えないように、高い棚で仕切ります。**

また、調乳室や手洗い台などの水回りに近いと動線がスムーズです。さらに、食事が終わったら排泄し、着替えて午睡へ向かうという流れに沿った動きやすさも検討します。

保護者に対する配慮

受け入れゾーンは、遊びゾーンにいる子どもから見えないようにします。子どもが遊びに集中できるようにするためです。また、受け入れを行う保育者が、保護者の対応をしながら保育室の様子を把握できるような配置を考えます。

同時に何組もの親子を受け入れられる広さも必要です。保護者にも使い勝手のよい家具を選び、受け入れを担当する保育者の居場所がとれるようにします。

0歳児の保育室

レイアウトのポイント

■受け入れゾーン

□ 部屋の入口付近に配置する
□ 遊びゾーンにいる子どもから見えないようにする
□ 受け入れを担当する保育者の居場所をつくる
□「お座りの椅子」（84〜86ページ参照）を置く

■遊びゾーン

□ 食事ゾーンにいる子どもから見えないようにする

■食事ゾーン

□ 食事を運ぶワゴンの出し入れがしやすい場所に配置する
□ 調乳室や手洗い台などの水回りへの動線に配慮する
□ 遊びゾーンが見えないようにする
□ 一人ずつ食事に集中できるようにする
□ 子どもを抱いて対応するための高いテーブル・椅子を用意する

■睡眠ゾーン

□ 部屋の中でいちばん静かで落ち着ける場所に配置する
□ 遊びゾーンにいる保育者から見えるようにする

■排泄ゾーン

□ 子どもの発達に合わせたおむつ交換台を置く
□ 衛生面から、ほかのゾーンとしっかり分ける
□「お座りの椅子」（84〜86ページ参照）を置く

0歳児クラス のレイアウト例

基本の家具

❶衣類整理棚
❷高い棚
❸低い棚
❹低いテーブル1
❻椅子
❼高いテーブル・椅子
❽ついたて
❾おむつ交換台
❿ベッド
⓬マット
⓭ベビーサークル
■お座りの椅子

※詳細は24〜25ページを参照してください。

子ども	9人
保育者	3人
床面積	29.7㎡（3.3㎡×9人）

※床面積の設置基準は、自治体によって家具を含む場合と含まない場合があります。

正方形の保育室

Point
ベビーサークルが必要な時は、ここに置く。

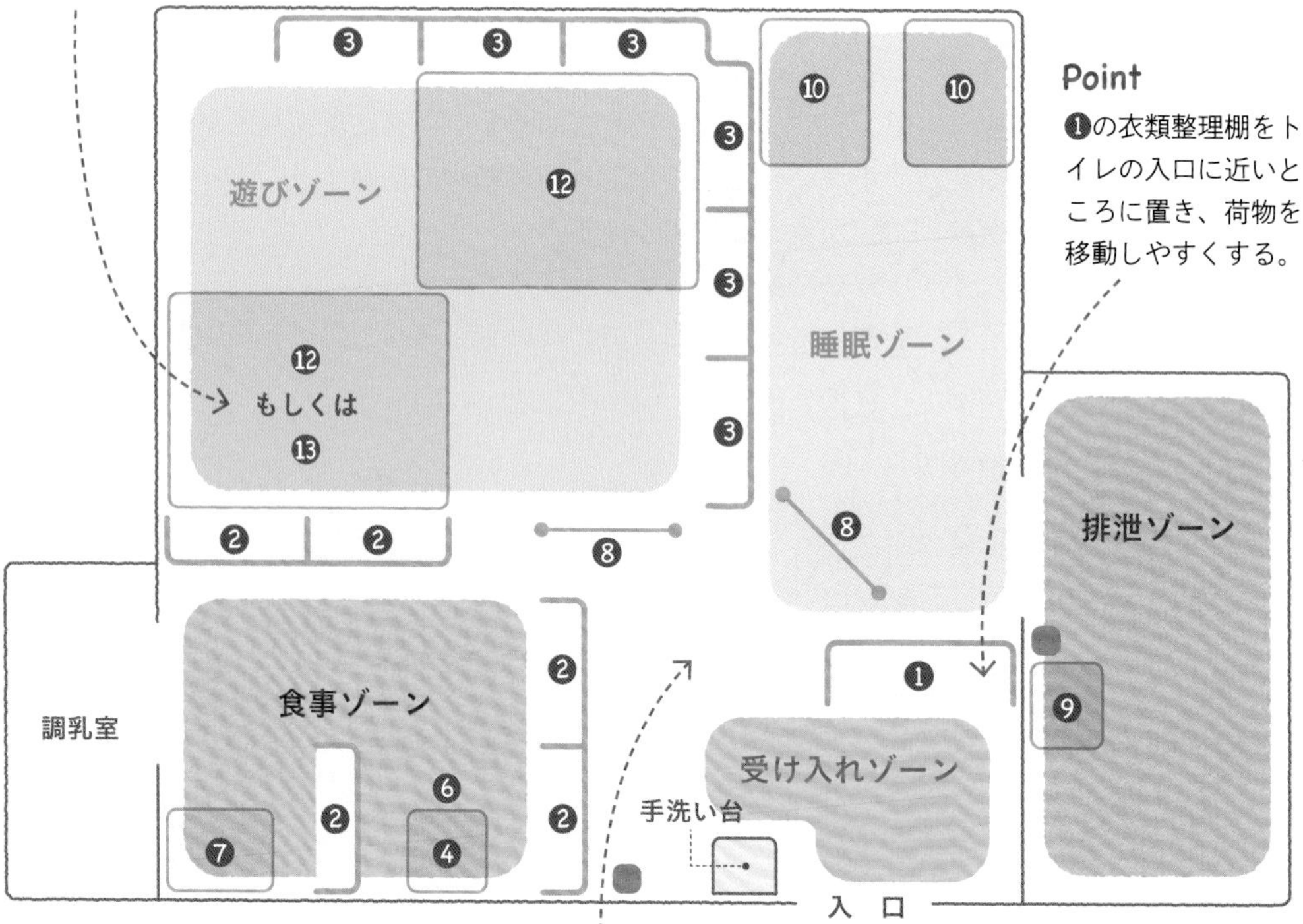

Point
❶の衣類整理棚をトイレの入口に近いところに置き、荷物を移動しやすくする。

Point
それぞれのゾーンの入口に❽のついたてを置き、空間をしっかり分ける。

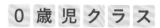

長方形の保育室

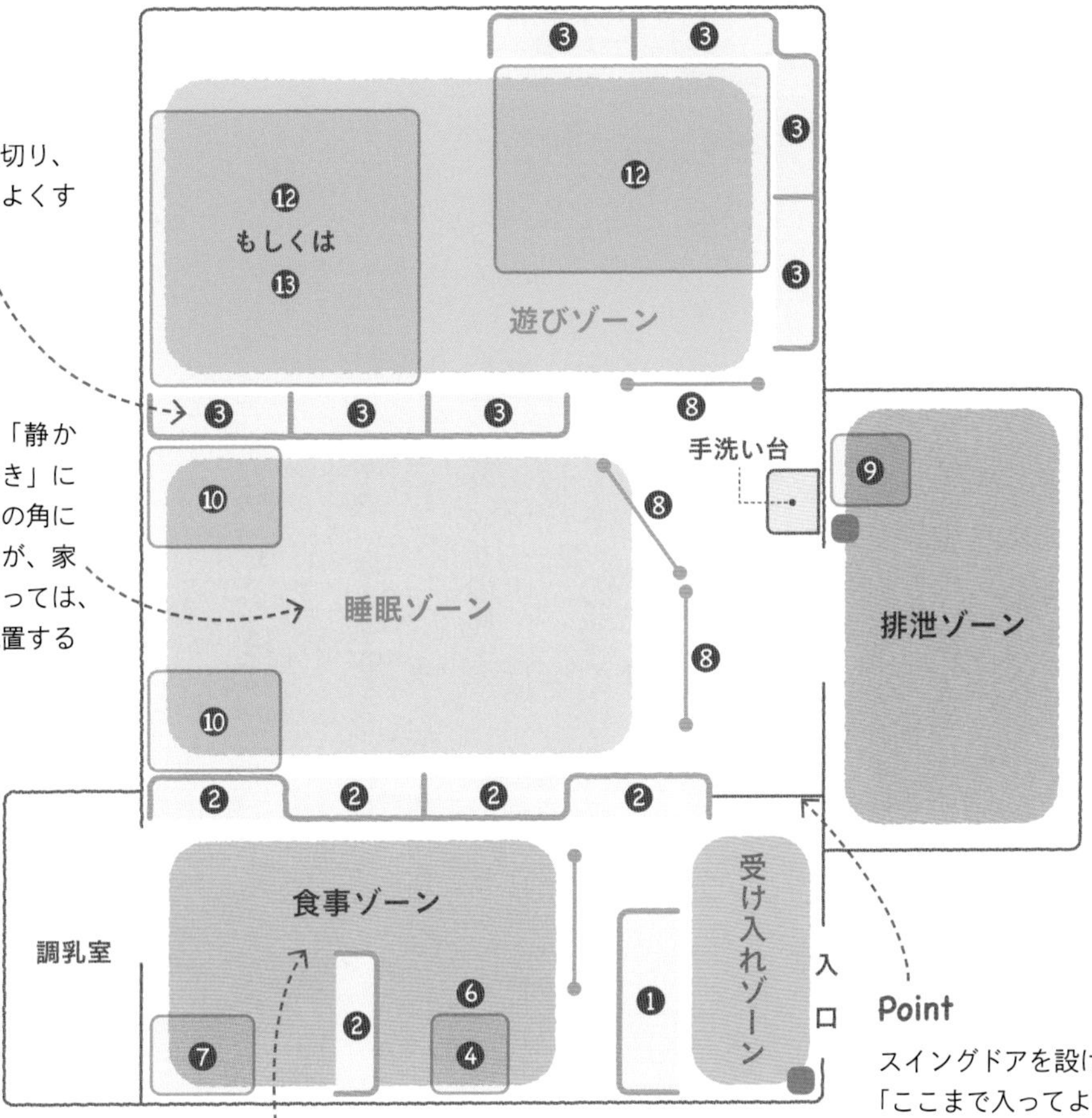

Point

❸の低い棚で仕切り、空間の見通しをよくする。

Point

睡眠ゾーンは、「静かさ」や「落ち着き」に配慮すると部屋の角に配置したくなるが、家具の置き方によっては、部屋の中央に配置することもできる。

Point

スイングドアを設けて、「ここまで入ってよい」というメッセージを保護者に示す。

Point

遊びゾーンから食事ゾーンが離れるため、食事に集中する空間がつくりやすい。❷の高い棚でゾーンを仕切る。調乳室との出入りがしやすい位置に❼の高いテーブルを配置する。

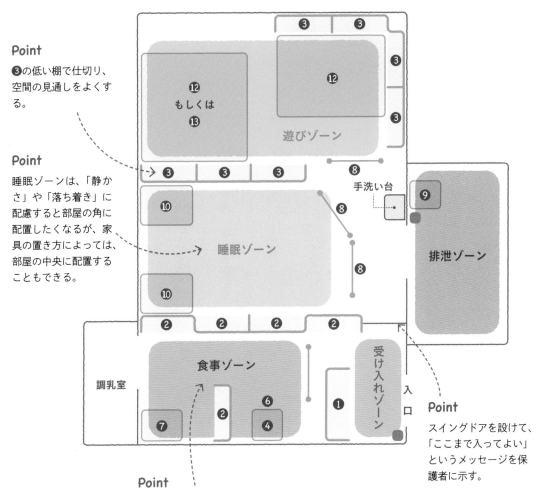

1歳児クラスのレイアウト

新年度になる頃には、おおよその子どもが一人歩きをするようになっています。とはいえ、個々の発達には大きな差があるので、安全面での配慮が欠かせません。手指の発達も著しく、発達段階に合わせたおもちゃを提供できるよう、収納の工夫が必要です。また、活動範囲が広がるよう、室内でも体を使った遊びが十分にできるようにします。

ここでは、子ども12人、職員3人の部屋を想定してレイアウト例を紹介します(32〜33ページ参照)。

遊びゾーンのつくり方

上手に歩けるようになり、子どもの世界が広がっていくこの時期は、好奇心も旺盛になります。様々な遊びを経験できるよう、遊びのスペースを確保します。

年度の前期は床遊びのみですが、後期には食事に使っているテーブルを利用して、机上遊びを取り入れます。午睡の時間以外は、睡眠ゾーンをトンネルやボールなどの粗大遊びをするスペースにするのもよいでしょう。

ゾーンを共有する場合

32〜33ページのレイアウト例では、遊びゾーンと睡眠ゾーンを共有しています。

食事は一斉にはせず、食事をしていない子どもは遊びゾーンにいます。対応する保育者は、遊ぶ子どもの様子を見守りながら、午睡の準備を進めます。

食べることに慣れてきたら、開放的な空間でも落ち着いて食べられるようになります。そこで、食事の習慣が整った年度の後期から試してほしい配置が33ページの「後期」の例で、遊び・食事・睡眠の3つのゾーンを共有しています。部屋の中央にある高い棚を低い棚と入れ替えることで、保育室の見通しがよくなり、保育者が連携しやすくなります。

1歳児の保育室

レイアウトのポイント

■受け入れゾーン

□ 部屋の入口付近に配置する
□ 遊びゾーンにいる子どもから見えないようにする
□ 受け入れを担当する保育者の居場所をつくる
□「お座りの椅子」（84～86ページ参照）を置く

■遊びゾーン

□ 粗大あそびなど、体を動かす遊びをする場所を十分にとる
□ 後期には机上遊びを取り入れる
□ 必要に応じて、睡眠ゾーンや食事ゾーンと共有する

■食事ゾーン

□ 食事を運ぶワゴンの出し入れがしやすい場所に配置する
□ 手洗い台などの水回りへの動線に配慮する
□ 前期は遊びゾーンが見えないようにする
□ 必要に応じて、アレルギー対応の１人用テーブルを人数分用意する

■睡眠ゾーン

□ 部屋の中でいちばん静かで落ち着ける場所に配置する
□ 遊びゾーンにいる保育者から見えるようにする

■排泄ゾーン

□ 子どもの発達に合わせたおむつ交換台を置く
□ 衛生面から、ほかのゾーンとしっかり分ける
□「お座りの椅子」（84～86ページ参照）を置く

1歳児クラス のレイアウト例

基本の家具

❶衣類整理棚
❷高い棚
❸低い棚
❹低いテーブル1
❻椅子
❽ついたて
❾おむつ交換台
⓬マット
■お座りの椅子

※詳細は24〜25ページを参照してください。

子ども	12人
保育者	3人
床面積	39.6㎡（3.3㎡×12人）

※床面積の設置基準は、自治体によって家具を含む場合と含まない場合があります。

正方形の保育室

Point 棚で仕切られた遊びゾーンの左側は、粗大遊びの場にする。

Point ❷と❸の棚で仕切られた遊びゾーンの右側を睡眠ゾーンにする。食事をしていない子どもの見守りや午睡の準備がしやすい。

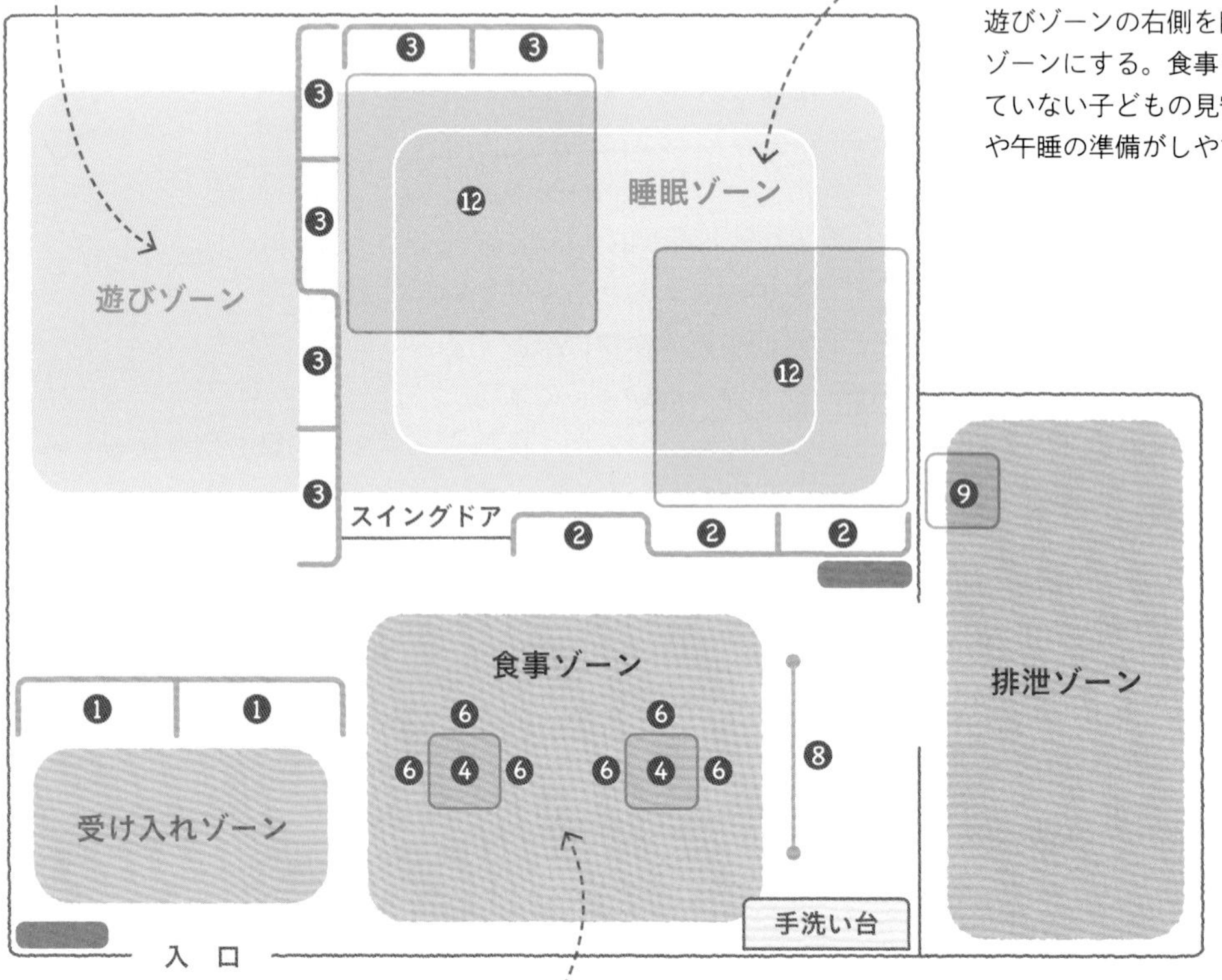

Point 食事の時に❹のテーブルを設置する。同時に食事をする子どもの数が増えるので、スペースをゆったりとる。入口の近くに配置して、ワゴンを入れやすくする。

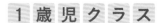

長方形の保育室

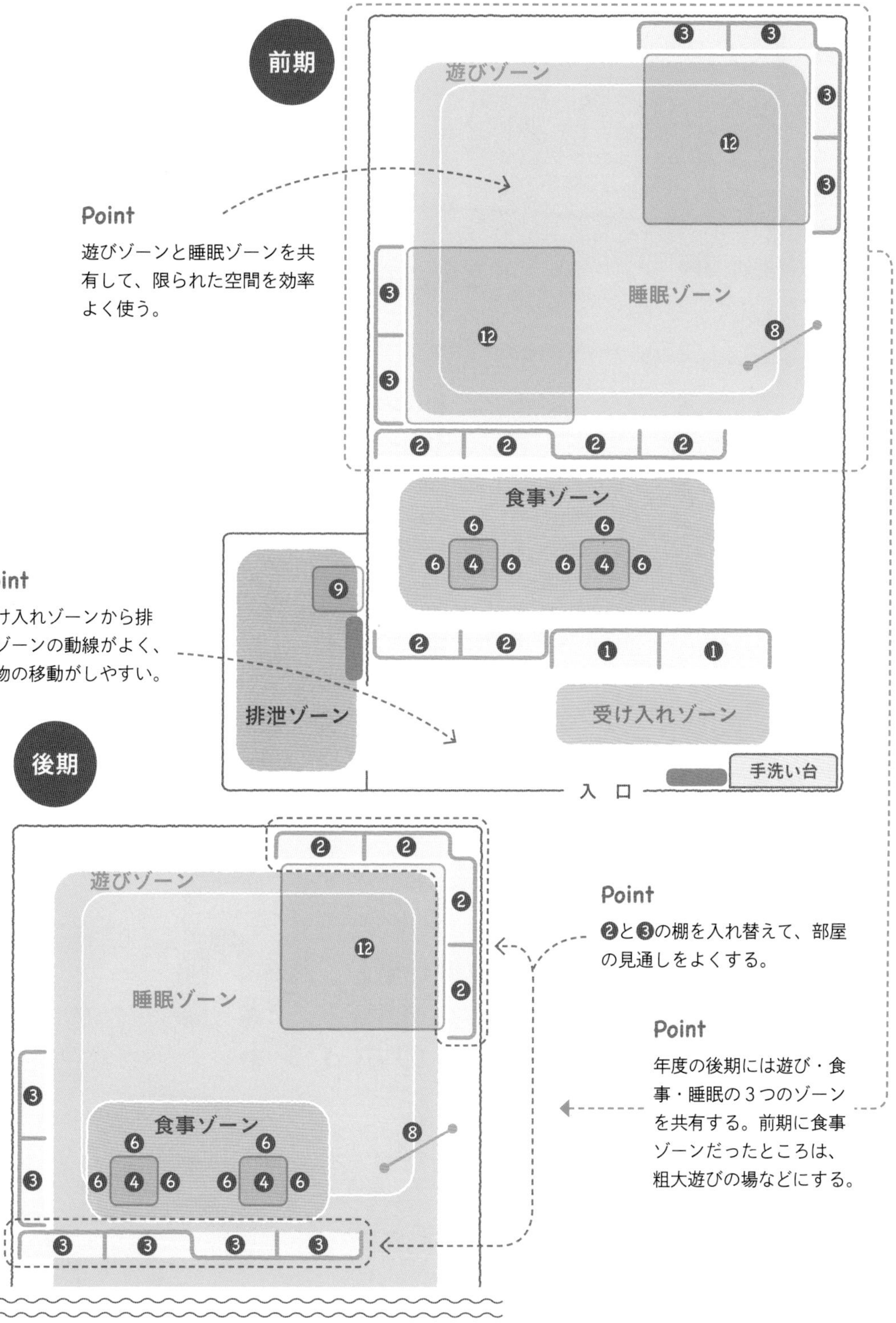

Point

遊びゾーンと睡眠ゾーンを共有して、限られた空間を効率よく使う。

Point

受け入れゾーンから排泄ゾーンの動線がよく、荷物の移動がしやすい。

Point

❷と❸の棚を入れ替えて、部屋の見通しをよくする。

Point

年度の後期には遊び・食事・睡眠の３つのゾーンを共有する。前期に食事ゾーンだったところは、粗大遊びの場などにする。

0・1歳児クラスのレイアウト

月齢の幅に対応した空間の使い分け

子どもの年齢と人数の関係で、0・1歳児を混合クラスにしている園も多くあるでしょう。ここでは、子ども9人（0歳児3人・1歳児6人）、職員3人の部屋を想定したレイアウト例を紹介します（35ページ参照）。

子どもの生活リズムの違いに配慮しながらの対応が求められるクラスです。睡眠ゾーンは部屋の奥に配置し、遊びゾーンの一部を共有しています。遊びゾーンを低い棚で仕切って見通しをよく、また、歩ける子・歩けない子の居場所を明確にします。

受け入れゾーンは高い棚で仕切り、遊んでいる子から見えないようにしています。受け入れゾーンから排泄ゾーンが離れているので、衣類などの荷物を移動させる時の工夫が必要です。保育者は「遊びゾーンを通らない」とルールを決めておくと、動線がスムーズです。

0・1歳児の保育室 レイアウトのポイント

□受け入れゾーンは、ほかのゾーンにいる子どもから見えないようにする
□遊びゾーンは、歩ける子・歩けない子の居場所を明確にする
□遊びゾーンと睡眠ゾーンを見通しをよくする

0・1歳児クラスのレイアウト例

基本の家具

❶衣類整理棚
❷高い棚
❸低い棚
❹低いテーブル1
❻椅子
❽ついたて
❾おむつ交換台
⓫コット（ふとん）
⓬マット
⓭ベビーサークル
■お座りの椅子

※詳細は24〜25ページを参照してください。

子ども	9人（0歳児3人、1歳児6人）
保育者	3人
床面積	29.7㎡（3.3㎡×9人）

※床面積の設置基準は、自治体によって家具を含む場合と含まない場合があります。

正方形の保育室

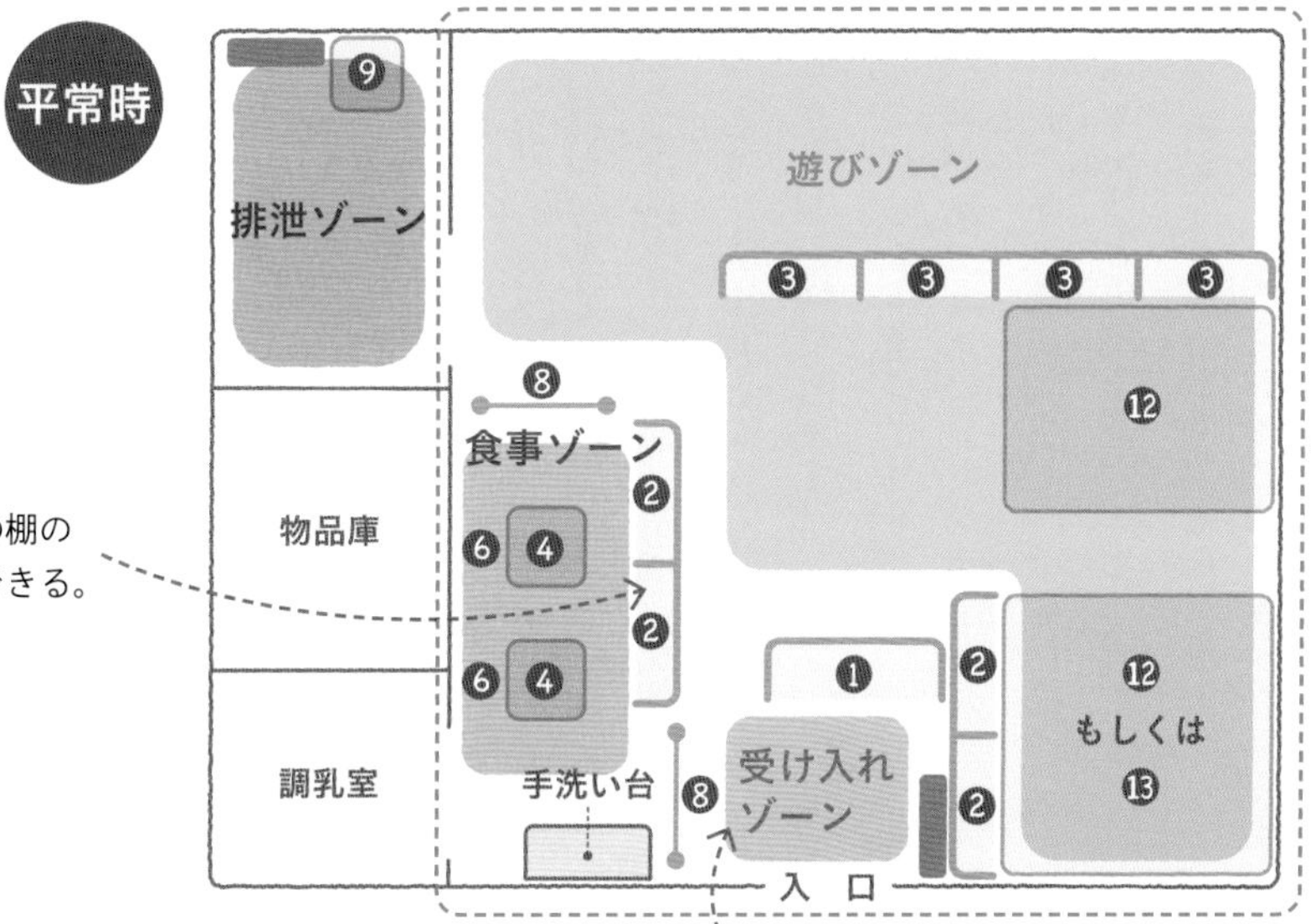

Point
縦に並べた❷の棚のまわりを回遊できる。

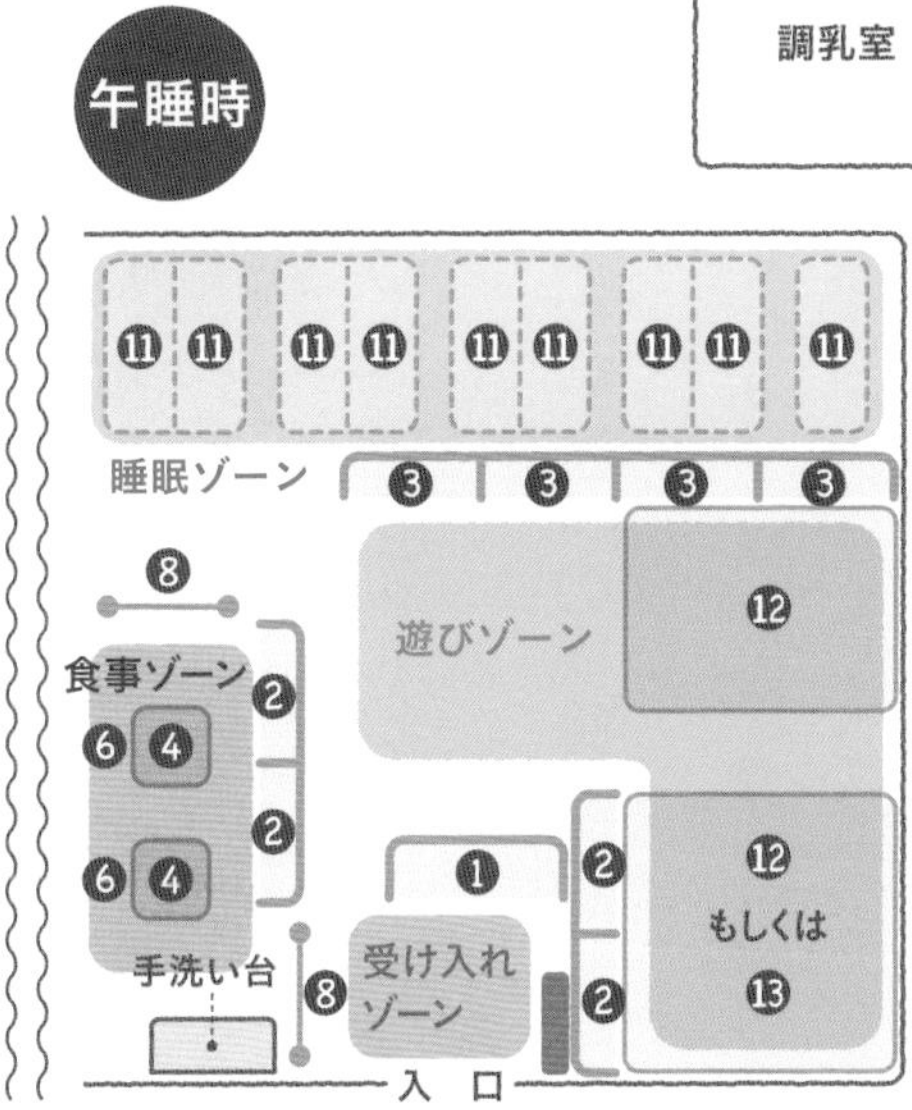

Point
排泄ゾーンが離れているので、衣類を移動する際は遊んでいる子どもを刺激しないよう、食事ゾーンを通れるようにしておく。

Point
平常時の遊びゾーンは、下から順に、歩けない子、その上を歩ける子の床遊び、❸の棚を挟んだ向こう側を粗大遊びのスペースにすることで、発達に差のある子どもの居場所を分ける。午睡時には、粗大遊びのスペースを睡眠ゾーンにする。

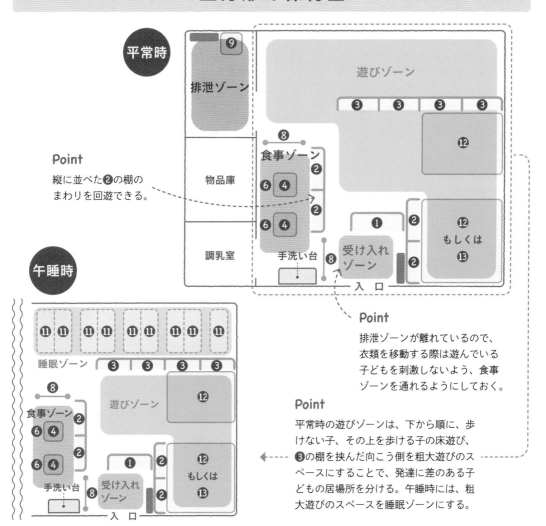

2歳児クラスのレイアウト

できることがさらに増え、自我が芽生え始める時期です。個人的な遊びが中心ですが、少しずつ友だちを意識しながら遊ぶようにもなります。基本的な生活習慣を身に付ける完成期と考え、食事・睡眠・排泄の自立をめざします。

ここでは、子ども15人、職員3人の部屋を想定してレイアウト例を紹介します（38〜39ページ参照）。

豊かに遊びを広げる空間づくり

遊びの種類が増え、遊び方も多様になっていく2歳児クラスでは、基本の家具にプラスして、人や物とかかわる遊びを広げるアイテムを増やします。

38〜39ページのレイアウト例では、絵本スタンド、キッチン、ドレッサーを追加しました。キッチン、ドレッサーは、遊びの中で生活を再現する「ごっこ遊び」に使えるものです。この先、ごっこ遊びが深まっていくので、イメージを膨らませるのに一役買うアイテムを取り入れていきます。

また、様々な机上遊びに対応するために、天板の広い4人がけのテーブルを数カ所配置しています。粘土、お絵描き、パズルなどの遊びをする場所です。

食事や午睡への模様替え

遊びが生活の中心になりつつある2歳児クラスでは、遊びゾーンを広くとるため、食事ゾーンや睡眠ゾーンと共有することがあります。

可動する家具でゆるやかに空間を仕切れば、食事や午睡の時には模様替えをして、部屋を広く使えます。限られた空間でも使い勝手がグンとよくなります。

絵本スタンドやテーブル、椅子は、可動する家具です。キャスターの付いた家具があっても便利です。

2歳児の保育室

レイアウトのポイント

受け入れゾーン

- □ 部屋の入口付近に配置する
- □ 遊びゾーンにいる子どもから見えないようにする
- □ 受け入れを担当する保育者の居場所をつくる
- □「お座りの椅子」（84〜86ページ参照）を置く

遊びゾーン

- □ 遊びが広がる家具を取り入れる
- □ テーブルを増やして、机上遊びの種類を増やす
- □ 可動する家具で模様替えをしやすくする

食事ゾーン

- □ 食事を運ぶワゴンの出し入れがしやすい場所に配置する
- □ 手洗い台などの水回りへの動線に配慮する
- □ 必要に応じてアレルギー対応のテーブルを用意する

睡眠ゾーン

- □ 部屋の中でいちばん静かで落ち着ける場所に配置する
- □ 遊びゾーンと共有する場合は、
遊び→食事→睡眠への模様替えをしやすくする

排泄ゾーン

- □ 衛生面から、ほかのゾーンとしっかり分ける
- □「お座りの椅子」（84〜86ページ参照）を置く

2歳児クラス
のレイアウト例

基本の家具

❶衣類整理棚
❷高い棚
❸低い棚
❹低いテーブル1
❺低いテーブル2
❻椅子
⓫コット（ふとん）
⓬マット
■お座りの椅子

※詳細は24～25ページを参照してください。

子ども	15人
保育者	3人
床面積	29.7㎡（1.98㎡×15人）

※床面積の設置基準は、自治体によって家具を含む場合と含まない場合があります。

正方形の保育室

平常時

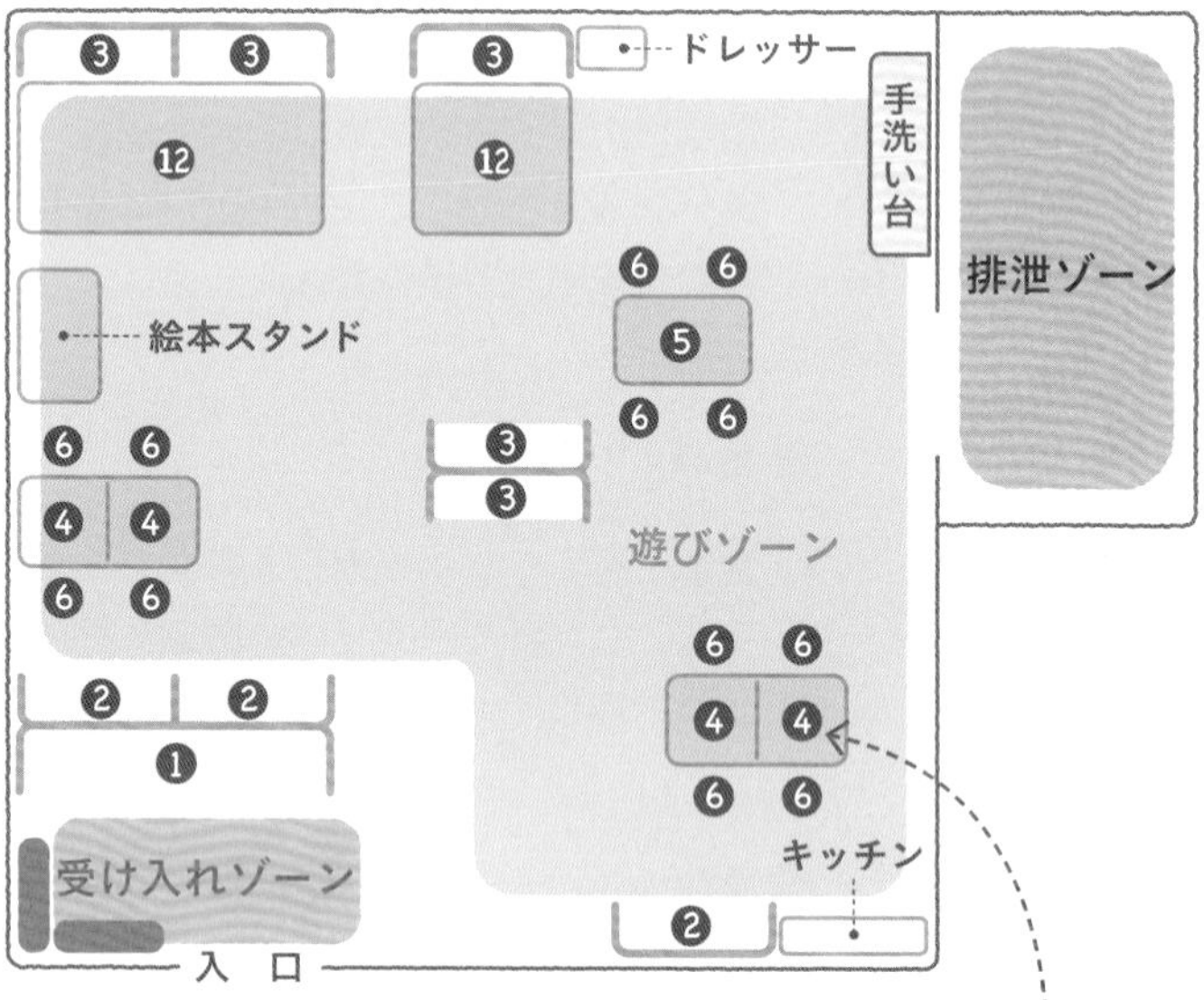

Point
遊びゾーンを広くとり、食事・睡眠ゾーンと共有する。

午睡時

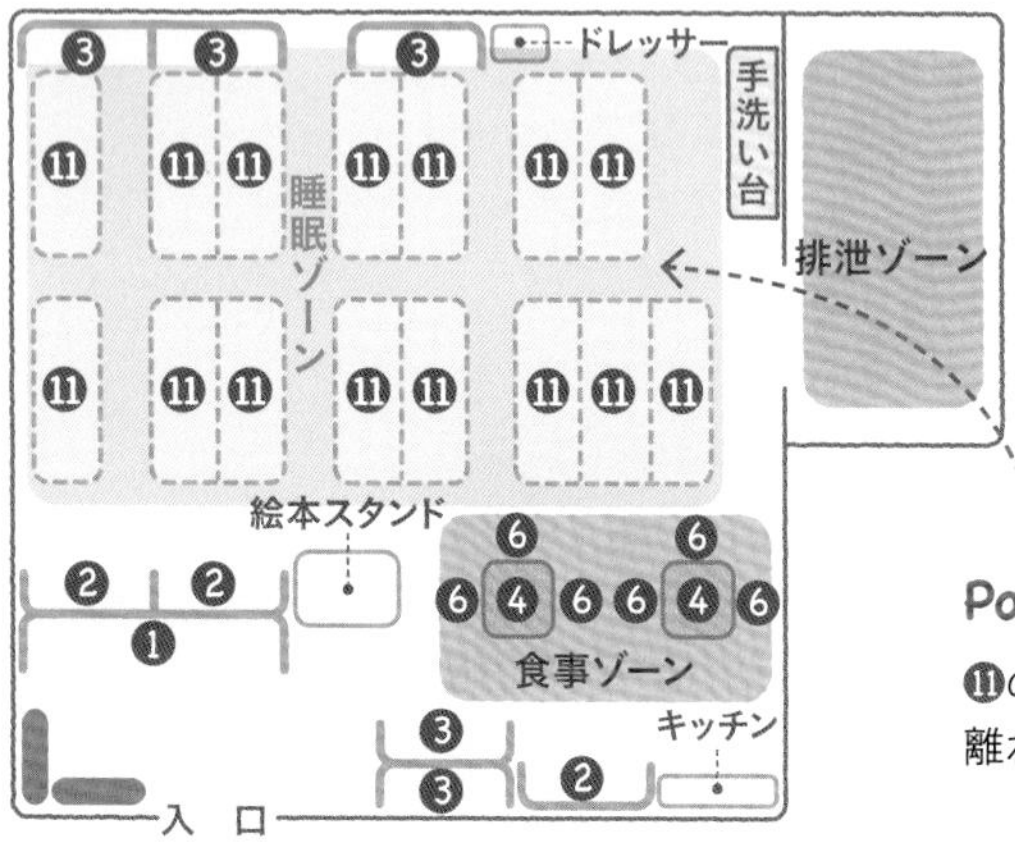

Point
キッチン用の家具がそばにある、ままごと遊びの場。食事にも利用する。食事の準備の際に、可動する家具を移動して、模様替えをする。

Point
⓫の寝具は、食事ゾーンから離れたところから順に敷く。

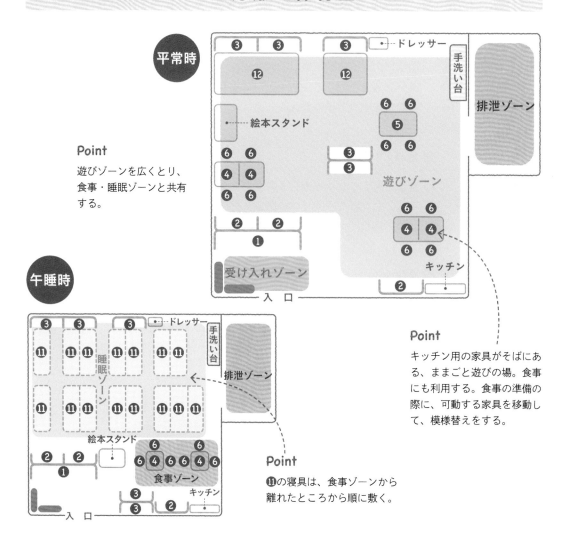

長方形の保育室

追加アイテム例

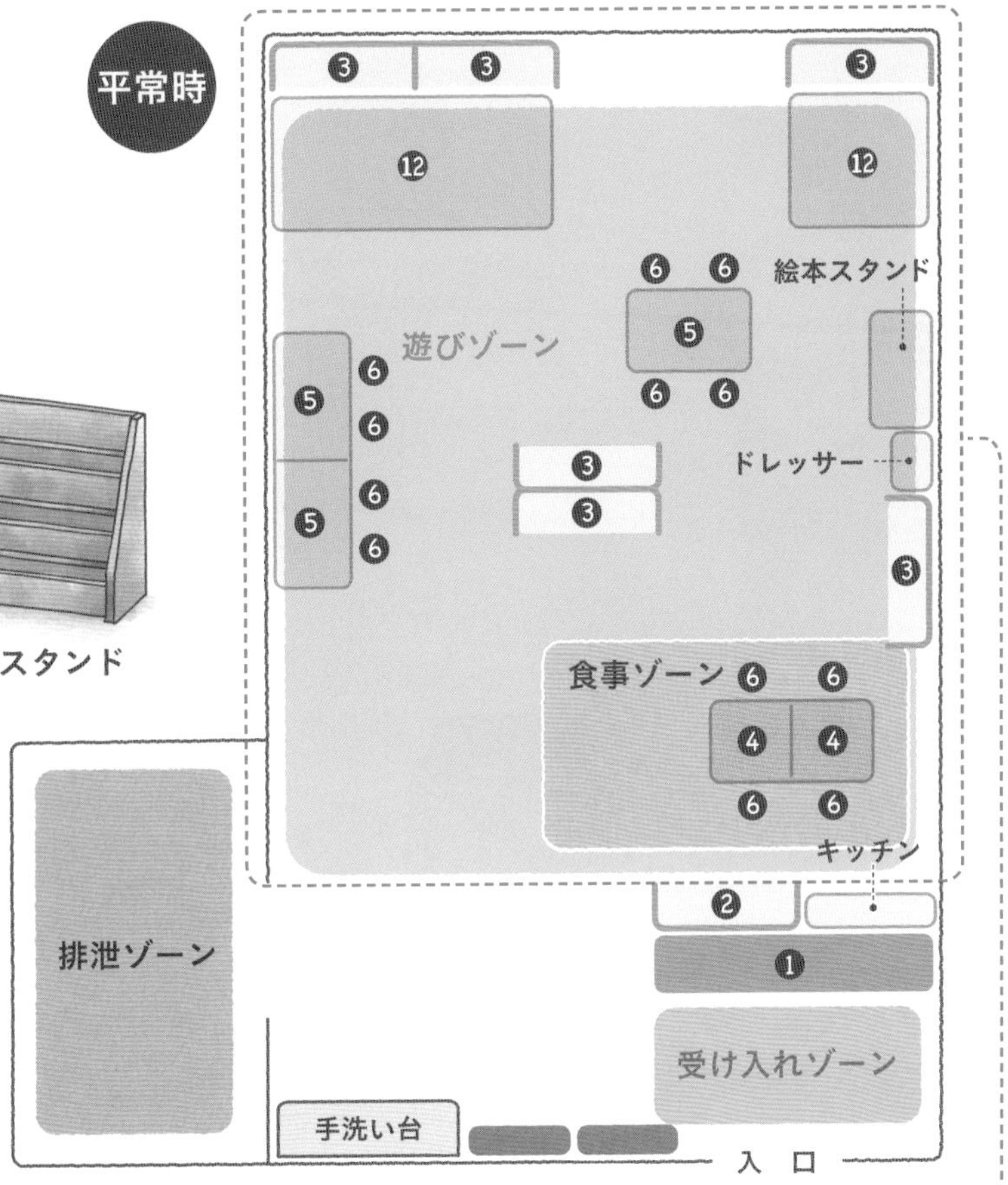

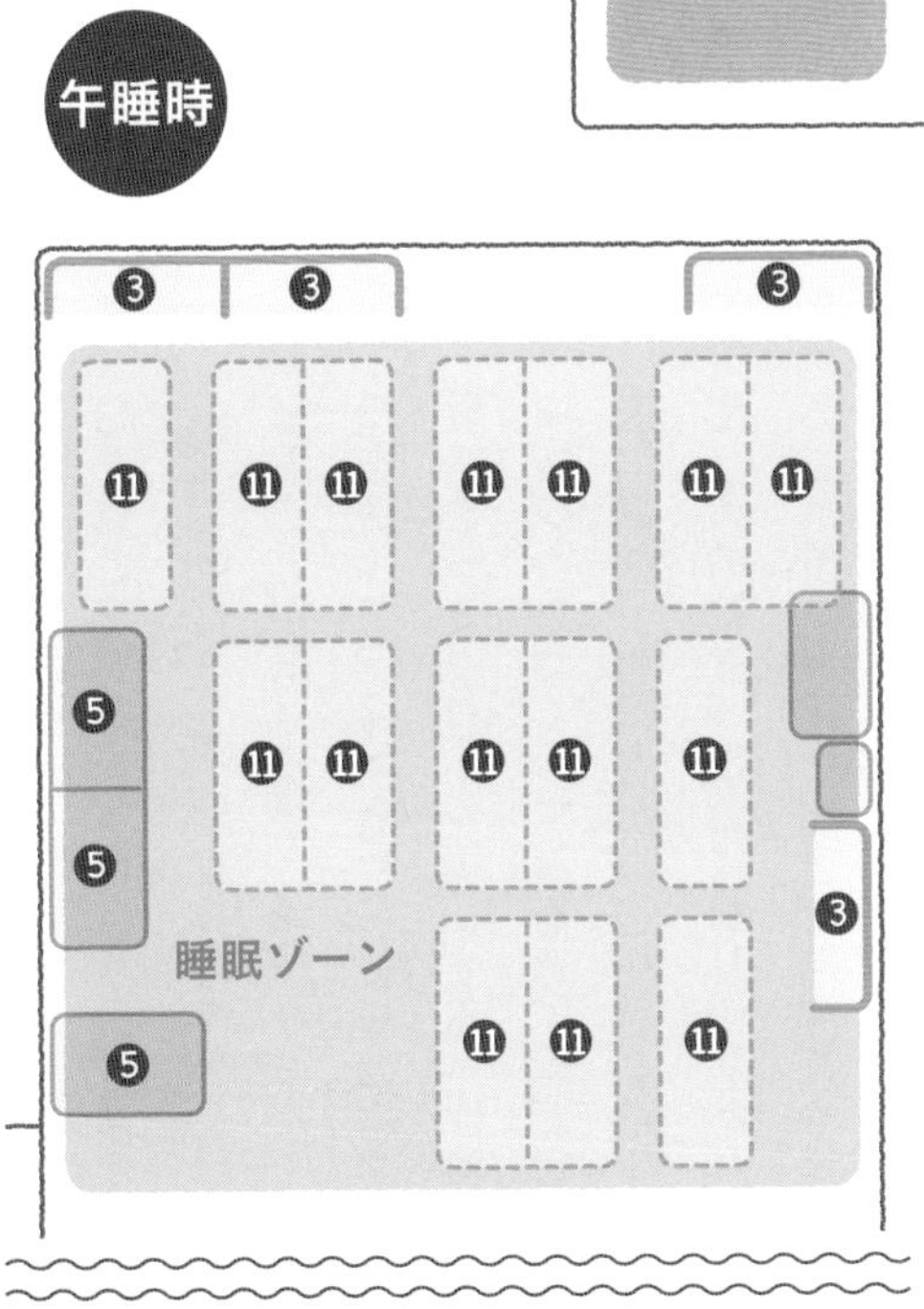

Point

部屋の長辺を利用して、食事から午睡への模様替えをする。食事ゾーンは、睡眠ゾーンにもなるため、食後にテーブルをかたづける。食事中の人や家具の配置については、73ページを参照。

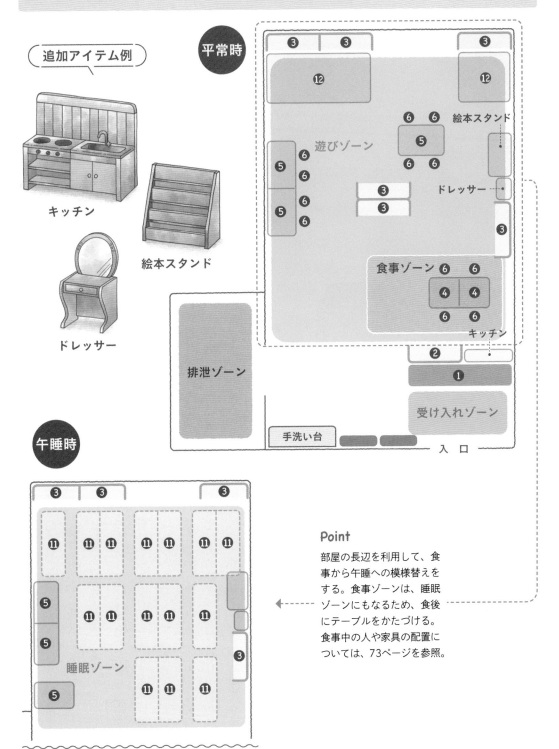

column

「保育環境マップ」を使って職員の動きを可視化する

クラス会議ではそれぞれの意見を出し合って、「保育環境マップ」をつくっている。（大久野保育園）

「保育環境マップ」があることで、自分だけでなく、ほかの保育者の動きも確認しやすい。（銀杏保育園）

動線にしっかり配慮したと思っても、日々過ごす中で「なんとなく動きにくい」「保育者同士の連携がとりづらい」と感じることがあります。ホワイトボードや紙を使って、保育者や子どもの居場所や動きをシミュレーションする「保育環境マップ」をつくってみると、保育室が可視化され、問題点がわかりやすくなります。人の動きが煩雑になりやすい「受け入れ」や「食事」など、時間帯や場面でつくってみるとよいでしょう。

「保育環境マップ」は、いつ、誰が、どこで、何をすべきかが、明確になるので、自分の動き方だけでなく、ほかの保育者の動きも把握できるようになります。保育者の急な欠勤などで、その日の職員配置を見直す際にも役立ちます。年度始めや子どもの生活の流れが変わる時につくり、見やすいところに置くようにします。慣れてくると、見なくても全員がスムーズに動けるようになっているでしょう。

受け入れ時の保育者の配置を確認する

お話／辻いづみ（銀杏保育園）

朝の受け入れ時の保育者の配置を、「保育環境マップ」を使って運用しています（下図）。当園は、２階に０・１・２歳児の保育室、１階に３歳以上児の保育室がありますが、朝７～８時までは２階の０・１歳児クラスで登園したすべての子どもを受け入れます。

園全体では60人定員で、保育者の数は7時の時点では２人ですが、８時に３人、８時20分に４人……と時間差で出勤します。★印は、それぞれの保育者の居場所を示しており、★１は子どもと遊ぶ、★２は受け入れ、★３は３歳以上の子どもを１階に連れて行くなど、それぞれの役割を決めています。

「保育環境マップ」は、おもに主任がリードしながら作成し、職員全員で確認し合いながら完成させます。とくに、保育経験の浅い職員や異動してきた職員がいる時期などには重宝します。自分の役割と居場所が可視化されることでわかりやすくなり、保育者同士の連携がスムーズになりました。

ホワイトボードの書き込み例
（２階の０・１歳児クラス）

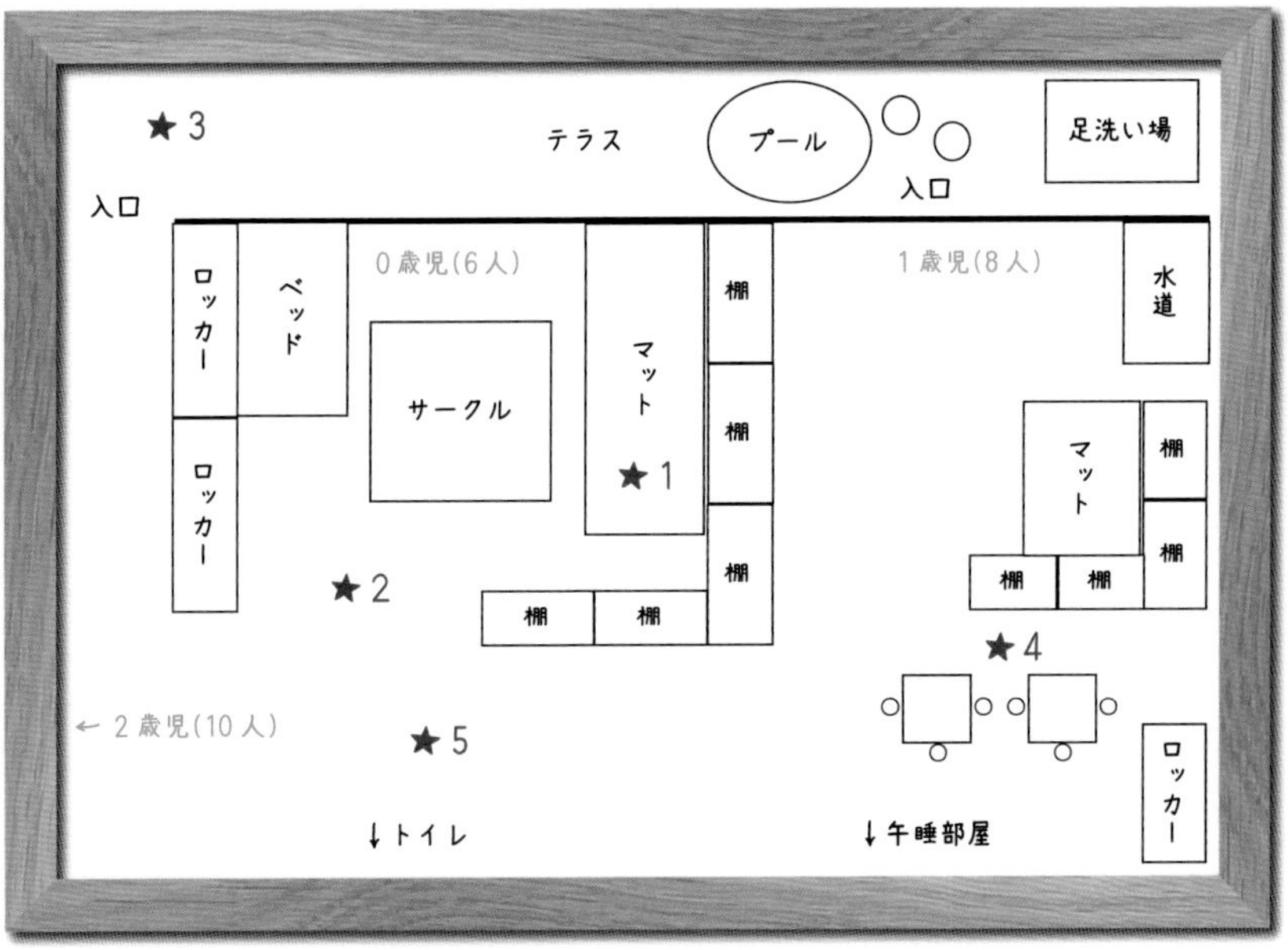

保育者の出勤時間と出勤後の業務

★１……出勤７：00／子どもと遊ぶ
★２……出勤７：00／登園児を受け入れる
★３……出勤８：00／３歳以上児を１階に連れていく
★４……出勤８：20／間食の対応をする
★５……出勤８：20／排泄の対応をする

活動ごとの保育者と子どもの状況を把握する

お話／森田尚美（大久野保育園）

毎月、１日の保育の流れと保育者の動きを確認する「日課表」をつくっています。それをもとに、ホワイトボードとマグネットで、活動ごとの状況を確認しています。

「食事」は、何時にどの子どもが誰の対応で食べるのかを、マグネットを使って示しています。子どもの登園時間に応じて食事の時間を決めているため、日々の変動はほとんどありませんが、その日の状況によっては食事時間をずらす子どももいます。そんな時は、マグネットを移動させて確認します。また、保育者の急な欠勤の場合も、マグネットを貼り替えながら検討できます。ホワイトボードを見るだけでよいので、職員間の共有がしやすくなりました。

「保育環境マップ」は、食事以外の活動用にもう１枚あります。早退する子がいるか、保育活動で個々に注意することがあるかを把握するためです。

▼日課表

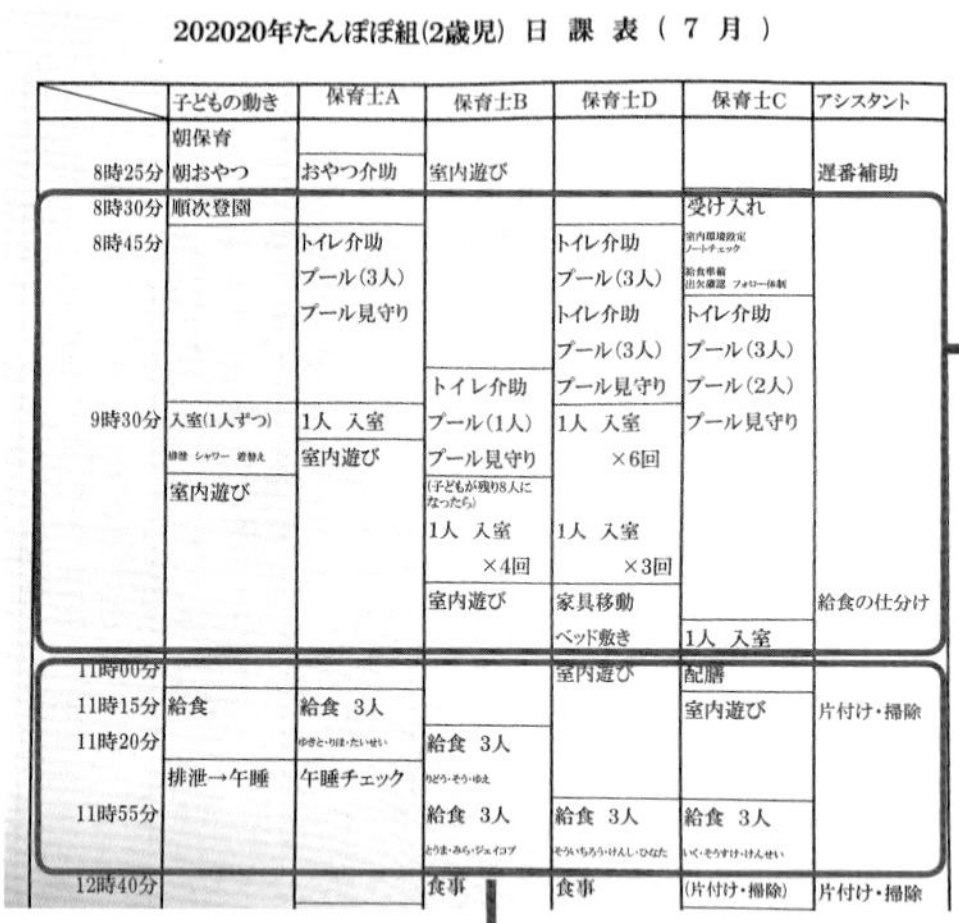

202020年たんぽぽ組(2歳児)　日　課　表（ 7 月 ）

	子どもの動き	保育士A	保育士B	保育士D	保育士C	アシスタント
	朝保育					
8時25分	朝おやつ	おやつ介助	室内遊び			遅番補助
8時30分	順次登園				受け入れ	
8時45分		トイレ介助 プール(3人) プール見守り	トイレ介助	トイレ介助 プール(3人) トイレ介助 プール(3人) プール見守り	室内環境設定 ノートチェック 給食準備 出欠確認　フォロー体制 トイレ介助 プール(3人) プール(2人) プール見守り	
9時30分	入室(1人ずつ) 排泄　シャワー　着替え 室内遊び	1人　入室 室内遊び	プール(1人) プール見守り (子どもが残り8人になったら) 1人　入室 ×4回 室内遊び	1人　入室 ×6回 1人　入室 ×3回 家具移動 ベッド敷き	1人　入室	給食の仕分け
11時00分				室内遊び	配膳	
11時15分	給食	給食　3人 ゆきと・りほ・たいせい			室内遊び	片付け・掃除
11時20分	排泄→午睡	午睡チェック	給食　3人 りどう・そう・ゆえ			
11時55分			給食　3人 とうま・みら・ジェイコブ	給食　3人 そういちろう・けんし・ひなた	給食　3人 いく・そうすけ・けんせい	
12時40分			食事	食事	(片付け・掃除)	片付け・掃除

▼保育環境マップ（活動用）

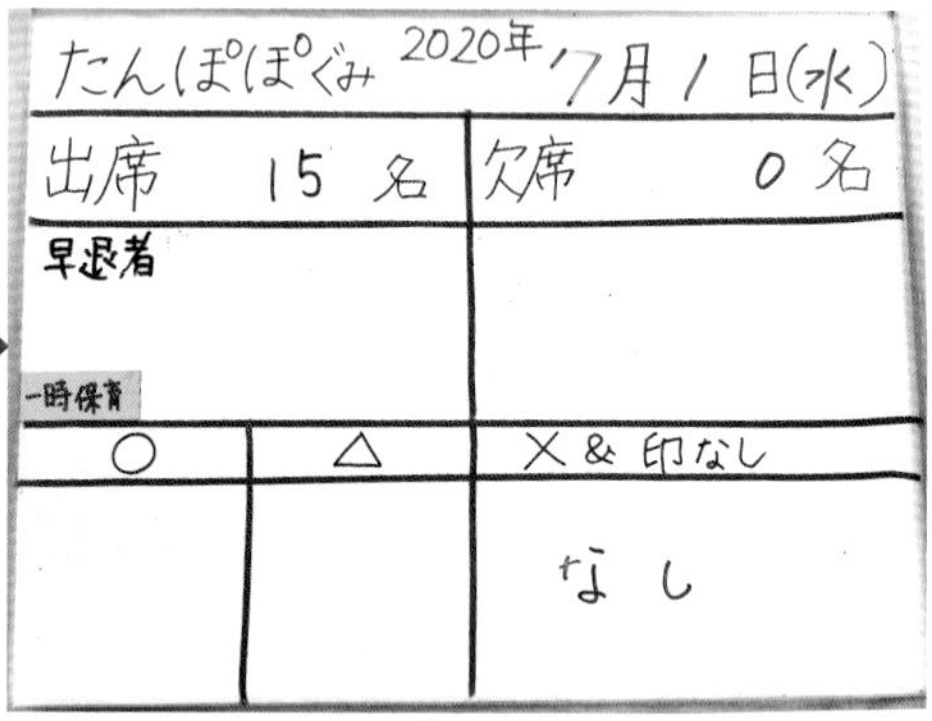

「○」は水遊びOKの子ども、「△」はシャワーのみOKの子ども、「×&印なし」はすべてNGの子どもを書き込む欄。

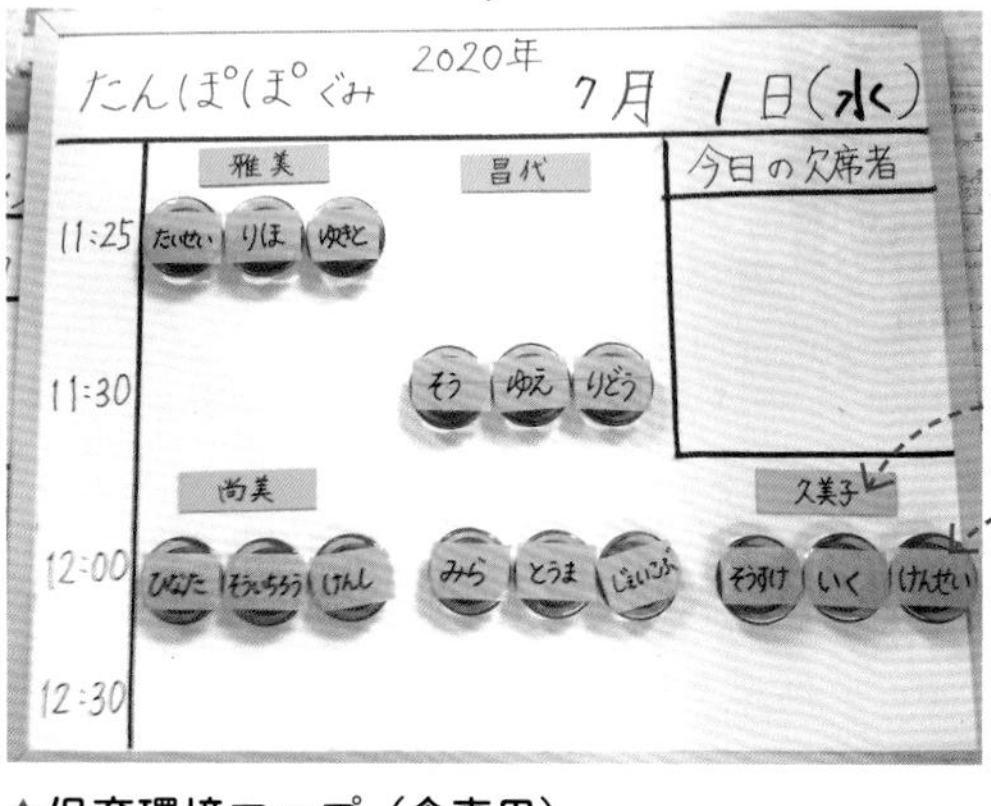

四角いマグネットは保育者。

丸いマグネットは子ども。アレルギー児がいる時はマグネットの色を変えている。

▲保育環境マップ（食事用）

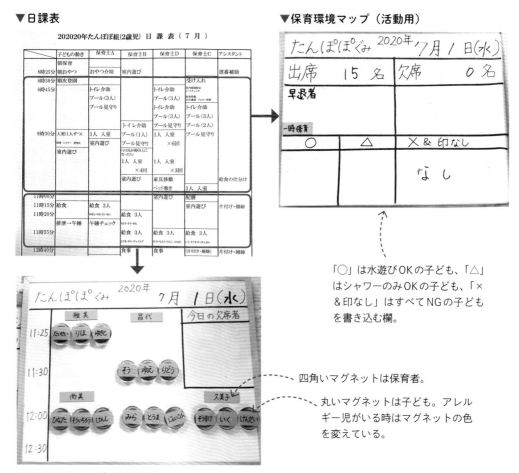

第2章

受け入れゾーン

受け入れゾーン配置の基本

遊びの世界への入口

登園後、保護者が着替えなどの荷物をロッカーに入れ、子どもを保育者に引き渡すまでの場所です。「受け入れ」専用のゾーンを設定していない園もありますが、ほかのゾーンとはしっかり分けて配置したほうがよいでしょう。

受け入れゾーンは、子どもにとって遊びの世界への入り口です。保護者とはそこで離れることになるので、子どもが気持ちを切り替える場にもなります。そのため、保護者の立ち入りは受け入れゾーンまでとすることが大切です。そのほうが子どもは生活の見通しが立ち、落ち着いて遊びに集中できます。

感染症予防から保護者を部屋に入れない場合もありますが、朝の一区切りが1日の保育の組み立てに大きく影響するという観点からも、必要な空間です。保育室の外（廊下など）や保育室の入口付近に設けるようにします。

送迎する保護者を見せない配置

お迎え時には、保護者への引き渡しのゾーンにもなります。夕方、子どもたちが遊んでいる時に、一人、また一人と保護者がお迎えにやってきます。その姿が子どもに見えてしまったらどうでしょうか。子どもは自分の親がいつ迎えに来るかと気になって、遊びに集中できなかったり、次第に不安になったりします。

そこで、家具の置き方を工夫するなどして、子どもから送迎に来た保護者の姿が見えないように受け入れゾーンを配置します。高い棚で仕切ったり、低い棚でもその上にパネルやカーテンを設置したり、ついたてを置いたりなど、保育室の状況に合わせて調整します。

また、着替えや汚れ物の出し入れや持ち運びに、排泄ゾーンとの動線がスムーズだと使いやすくなります。

配置のポイント

1 保護者が保育室内に入らずにすむよう、入り口付近に配置する

2 遊びゾーンから見えないようにする

3 排泄ゾーンへのスムーズな動線を考える

右図のように排泄ゾーンが離れている場合、荷物などを運ぶ際には、遊んでいる子どもを刺激しないように「遊びゾーンを通らない」と職員で共通理解しておくとよいでしょう（ただし、食事中は食事ゾーンを通らないようにします）。

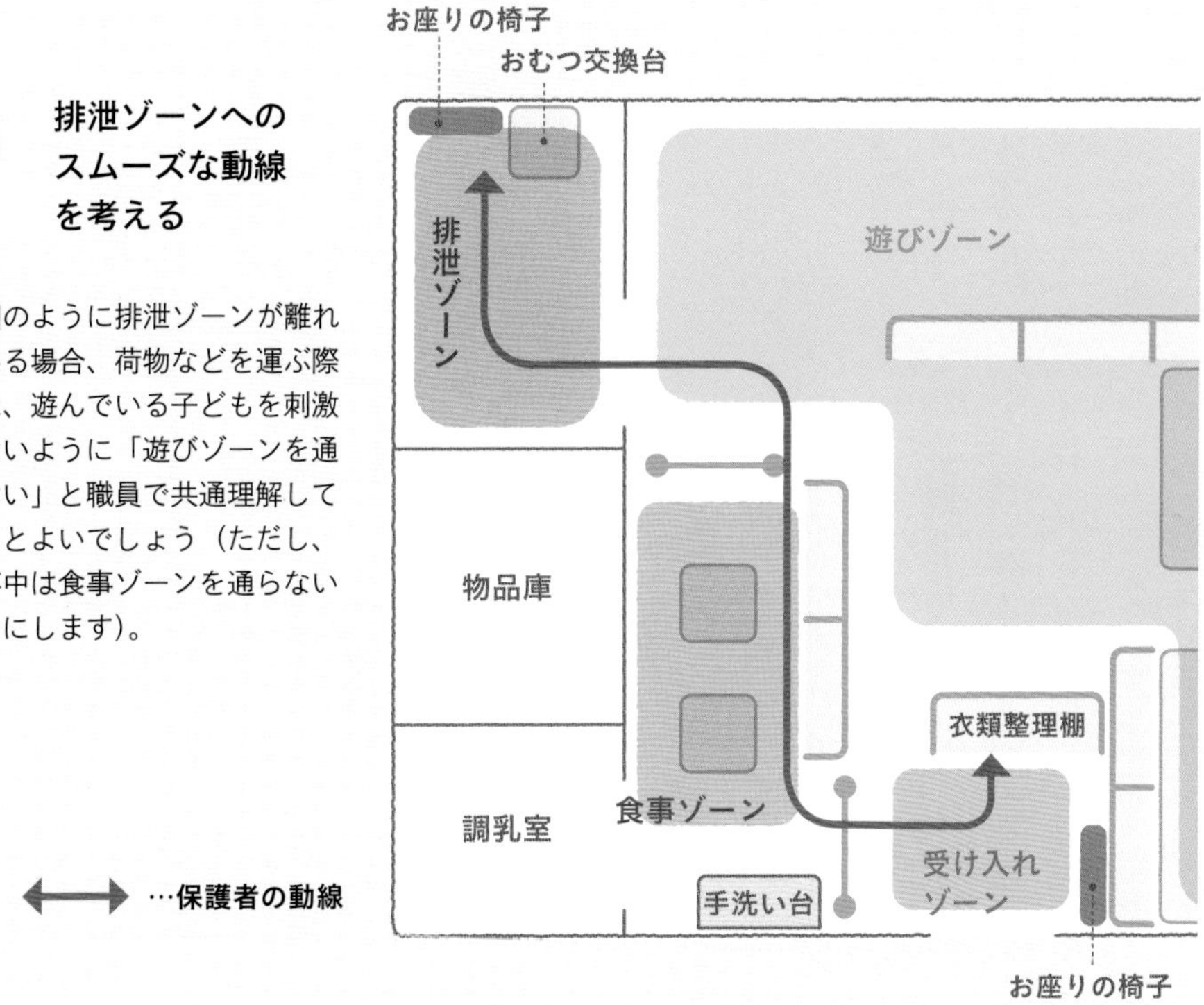

家具と収納

荷物の出し入れがしやすい動線

受け入れゾーンには、登園した子どもの荷物を入れる家具が必要です。登園時には人が集中するので、ゆとりをもたせて配置します。園によって必要な荷物は異なりますが、家から持ってきた物と園から返す汚れ物が、わかりやすく収納できる家具があるとよいでしょう。

また、室内と仕切るように家具を配置する場合、双方向から荷物が取り出せる形状になっていると使いやすくなります。たとえば、排泄ゾーンとの間に置くと、保育者が子どもの荷物を移動する手間が省けます。

市販のロッカーの多くは、一方から出し入れする形状なので、双方向から取り出せる棚を新築時に採用する園も増えていますが、既存の園舎ではリフォームなどが必要です。その場合、まずは市販の整理棚やカゴなどを使って、試してみるとよいでしょう。人の動きや家具のサイズ感などを確認し、コストをかけてでも採用すべきかどうかを判断しましょう。イメージをつかむために、使っている園を見学させてもらうのもよいでしょう。

子どもにとってのわかりやすさ

乳児の荷物の出し入れは、原則として保育者が行いますが、幼児になると子どもが自ら出し入れをする場面も出てきます。**子どもが自分の持ち物を把握することは、生活面での自立につながっていきます。そのためにも、乳児の頃から、子どもにとってのわかりやすさを意識します。**

どこが自分の場所なのかをはっきりさせるために、年度始めに場所を決めたら、一年間同じ場所を使います。また、名前と一緒に個人のマークなどを貼り、子どもにもわかるようにします。保護者がクラスの子どもの顔と名前を認識しやすいよう、顔写真を貼るのもおすすめです。

子どもにも保護者にもわかりやすい収納

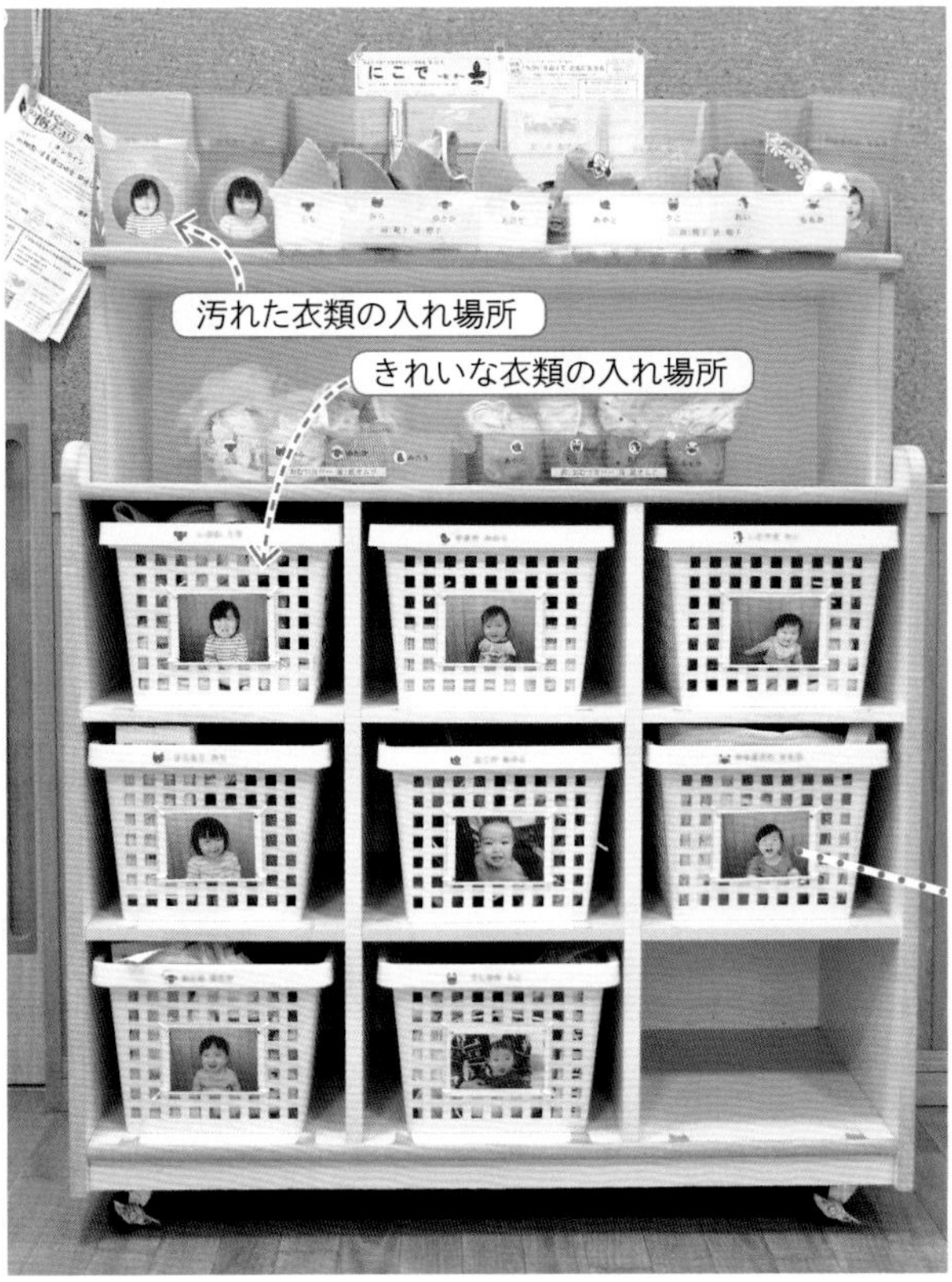

- きれいな衣類と汚れた衣類を入れる場所をわかりやすくする。写真では、ロッカー上のファイルケースに汚れた衣類を、下方の白いカゴにはきれいな衣類を入れている。
- 子どもが「自分のもの」を把握し、管理する気持ちを育てるためにも、年度内は場所を変えない。
- 名前と一緒に子どもの顔写真も貼っておくと、保護者がほかの子を覚えやすい。また、マークに使うイラストは、卒園まで同じものにすると、クラスが変わっても戸惑わない。

両面から使える衣類整理棚

写真は、受け入れゾーンと排泄ゾーンの間にあるロッカーで、扉を開けると筒抜けになっていて、向こう側が見える。１つのロッカーが２段に分かれ、きれいな衣類と汚れた衣類を分けて入れられる。棚の上はコルクボードになっていて、受け入れゾーンにいる保護者に向けた掲示ができる。

扉を開けたところ

column

受け入れを担当する保育者の居場所

毎日決まった場所で迎えてくれる保育者がいることで、登園した親子は1日をスムーズに迎えられる。（銀杏保育園）

朝の登園時間帯は、すでに保育室の中にいる子どもを見守りながら、登園してきた親子を受け入れることになります。そのため、受け入れを担当する保育者の居場所は、受け入れゾーンと遊びゾーンの両方に目が届くようにしたいものです。

受け入れゾーンの配置を検討する際には、保育者の居場所も含めたスペースを確保しましょう。受け入れゾーンで親子を迎える保育者は、保護者の窓口としても重要な役割があります。保護者からの伝達や質問等を受けたり、その日の親子の様子を観察して支援の必要性を把握したりするようなこともあるからです。担当する保育者は、遊びゾーンで子どもの対応をする保育者と連携しながら、基本的にその場を離れることのないような配置を考えます。

感染症対策で保護者が園内に入らないようにしたことで、子どもが気持ちの切り替えをしやすくなった事例もあります。「受け入れ」から、その日の保育が始まっているのです。

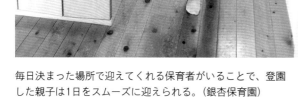

第3章

遊びゾーン

遊びゾーン配置の基本

遊びに夢中になれる環境

子どもは遊びから、人とかかわる力を育んでいきます。0・1・2歳児は、遊び方を習得していく時期で、園生活では子ども一人ひとりが意欲的・主体的に遊びに夢中になれる環境を考えます。

子どもは登園して保護者と離れたら、まず、遊びゾーンに入ります。遊びの世界にしっかり入り込むには、保護者の存在が気にならないよう、遊びゾーンから受け入れゾーンにいる保護者が見えないようにすることが大切です。

発達に合わせた遊びを提供する場

子どもの遊びは大きく分けて、粗大遊び、微細遊び、社会的・情緒的遊び、感覚統合遊びの4種類があります。この4種類の遊びが満遍なく経験できるよう、遊びゾーンの構成を考えます。

遊びゾーンは、子どもの興味・関心に合わせ、遊びがマンネリ化しないよう、必要に応じた模様替えも視野に入れておきます。0歳児は床遊びが基本ですが、1歳児の後半からは、机上遊びも取り入れます。「やりたい」と思う遊びを、子どもが自ら選べるようにすることが、主体性を育てていくことになります。

ただし、安全に遊ぶための配慮は欠かせません。子どもの発達段階や遊びの種類で空間をわかりやすく分けたり、保育者の配置に工夫が必要です。

スペースを広げる工夫

1歳児クラスになると、遊びゾーンを広く使うために、睡眠ゾーンや食事ゾーンとスペースを共有する場合があります。子どもの活動範囲が広がるにしたがって、さらにスペースがほしいと感じることもあるでしょう。そこで、ベランダや廊下などを「遊びゾーン」として利用して、スペースを広げてみるのもよいでしょう。

配置のポイント

1 受け入れゾーンが見えないようにする

2 睡眠ゾーンや食事ゾーンと共有してもよい

3 4種類の遊びが経験できる空間を確保する

粗大遊び

体を大きく動かす遊び。室内では遊具などを用いて、のぼる、おりる、はう、くぐる、とぶなどの動きを獲得しながら、多様な環境を探索する姿勢を育てる。

微細遊び

手指を使う遊び。はめ絵パズルやひも通しなど、手指の微細な動きを通して機能を獲得するとともに、ものにかかわり認知する力を育てる。

社会的・情緒遊び

ごっこ遊びやなりきり遊びなど。人形や絵本などを媒介に、自分が何かになること、また世話をする存在になることで、子どもの心や社会的知性を育てる。

感覚統合遊び

五感や体のバランス感覚など、多くの感覚情報を整理したり関連付けたりして、うまく行動できるようにする力を育てる。

家具の置き方

棚とマットが発信するメッセージ

環境の中の様々な要素が、人間や動物の感情や動作に影響を与えていることがあります。これをアメリカの心理学者ギブソンが、アフォーダンスと呼びました。

たとえば、人間は適当な形や高さのものがあると、それに腰かけることがあります。これは、脳が「座れる」と判断しているだけで「もの」自体には意味がないという考えが一般的でした。しかしギブソンは、すでに「もの」のほうに意味があって、それを人間が見付け出していると考えました。**「もの」にはその特性や置き方によって、言葉で示さなくても、人間を自然と行動させるような力がある**というのです。

子どもの主体性を育むためには、できるだけ指示命令は避けたいものです。そこで、このアフォーダンスを環境づくりに取り入れます。たとえば、保育者が遊んでほしいと思う場所におもちゃの棚とマットを置くと「ここで遊ぼう」というメッセージを子どもたちへ送れます。

床に座って対応する保育者

53ページで示すように、保育者が棚を背にしてマットの上に座ると、子どもは自然とそこに集まります。この場合、**棚とマットが遊び場所の一つの単位となり、そこでは保育者が子ども一人ひとりに応答しながら対応するのです。**

子どもが遊びたいおもちゃを自分で取り出すには、棚の高さは60㎝ほどがちょうどよいでしょう。立っている子どもなら、上の段にも手が届きます。座っている子どもの視線はさえぎるけれど、保育者には座ったまま棚の向こう側が見えます。また、保育者はふり返らずに、手を伸ばせばおもちゃが取れます。

かたづけは基本的に大人が行いますが、その姿が「遊びの完了からかたづけ」までの子どもの見通しを育てます。

棚＋マットのセットが基本

おもちゃを置く棚をL字型に配置。L字の角を保育者の定位置にする。

子どもが自分でおもちゃを取り出し、かたづけられる高さの、低い棚を置く。

保育者と子どもの間におもちゃが介在し、保育者は一人ひとりの遊びを援助する。

遊びに集中できるよう、マットは、シンプルなデザインや落ち着いた色調のものを選ぶ。

マットのアフォーダンスを利用する

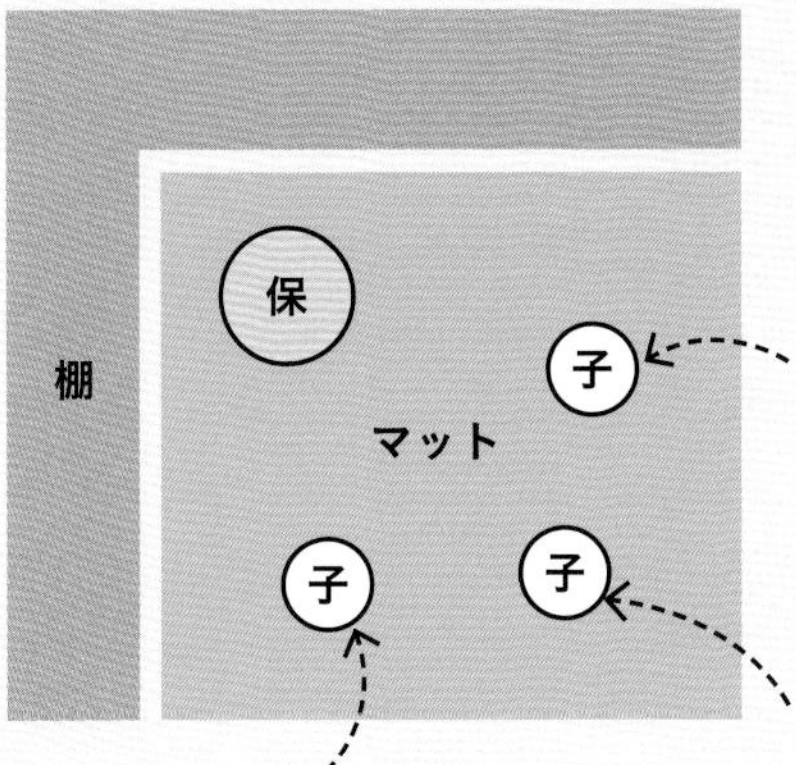

マットには、「ここで床に座って遊ぶ」というアフォーダンスがある。たとえば、マットに保育者が座れば、子どもは自然とそこに集まりやすい。
言葉で示さなくても、静かに床での遊びを楽しみたい子どもと、マットの外で動きたい子どものすみ分けができる。

保…保育者　子…子ども

粗大遊びの配置

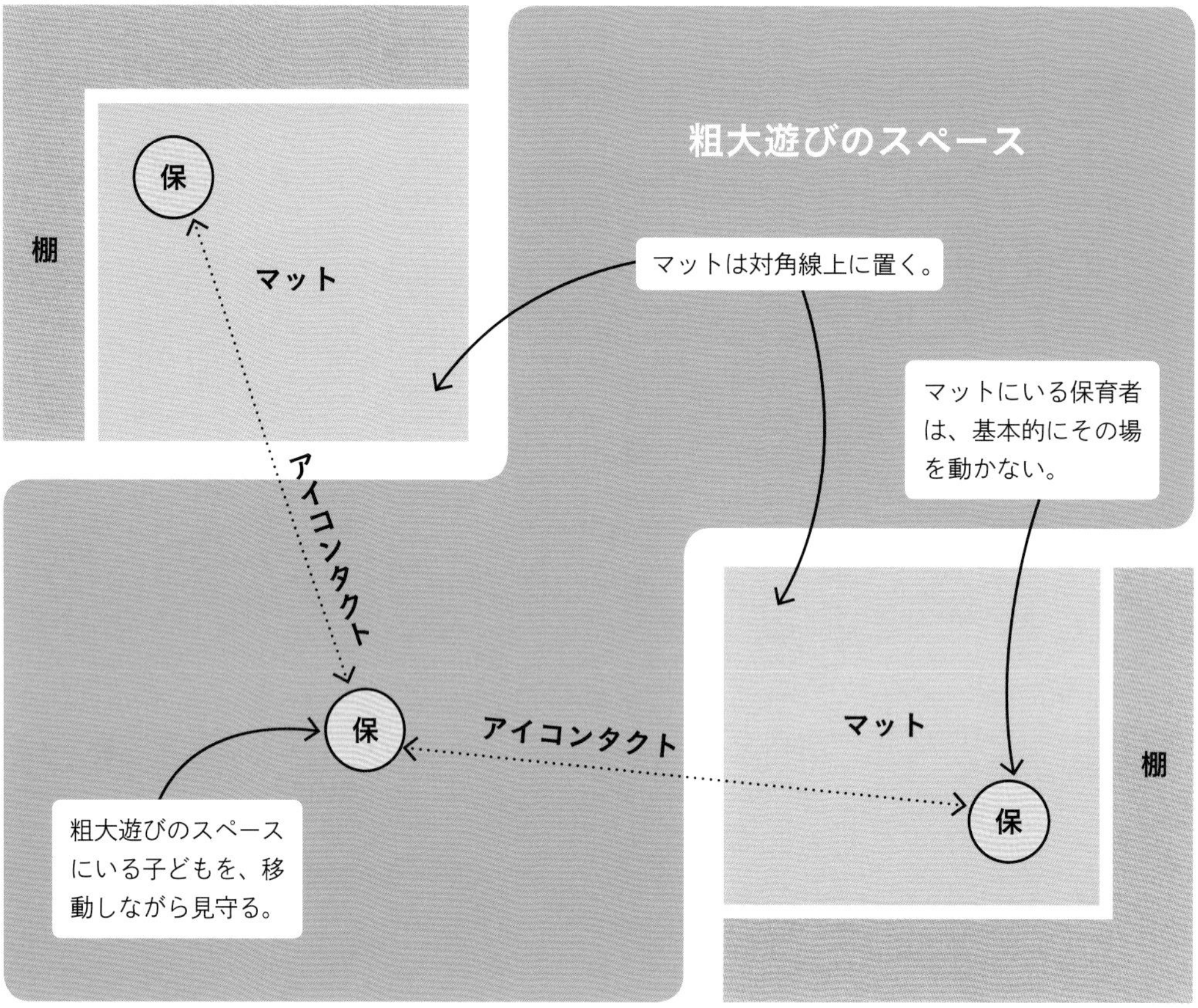
粗大遊びのスペース
棚
保
マット
マットは対角線上に置く。
マットにいる保育者は、基本的にその場を動かない。
アイコンタクト
保
アイコンタクト
マット
棚
保
粗大遊びのスペースにいる子どもを、移動しながら見守る。

子どもを見守りやすい場所

部屋の広さにもよりますが、遊びゾーンには、棚とマットのセットを2～3か所設置したら、その間が粗大遊びのスペースになります。こうすることで、それぞれのマットにいる保育者から、粗大遊びのスペースにいる子どもが見守りやすくなるからです。

子どもの動きが活発になる遊びゾーンでは、安全面での配慮が欠かせません。そばにいる保育者だけでなく、**どの保育者も必要に応じてすぐに動けるようにしておくことが大切です。**上図では、保育者同士のアイコンタクトもとりやすくなっています。

粗大遊びというと、トンネルやすべり台といった大型の遊具での遊びをイメージしがちですが、それだけではありません。可動する遊具を使った遊びや、人形を抱いて「買いものに行く」ごっこ遊びも、粗大遊びの一つと考えます。

様々な粗大遊び

大型の遊具を使うだけでなく体を大きく動かして移動する遊び

ベビーサークルの使い方

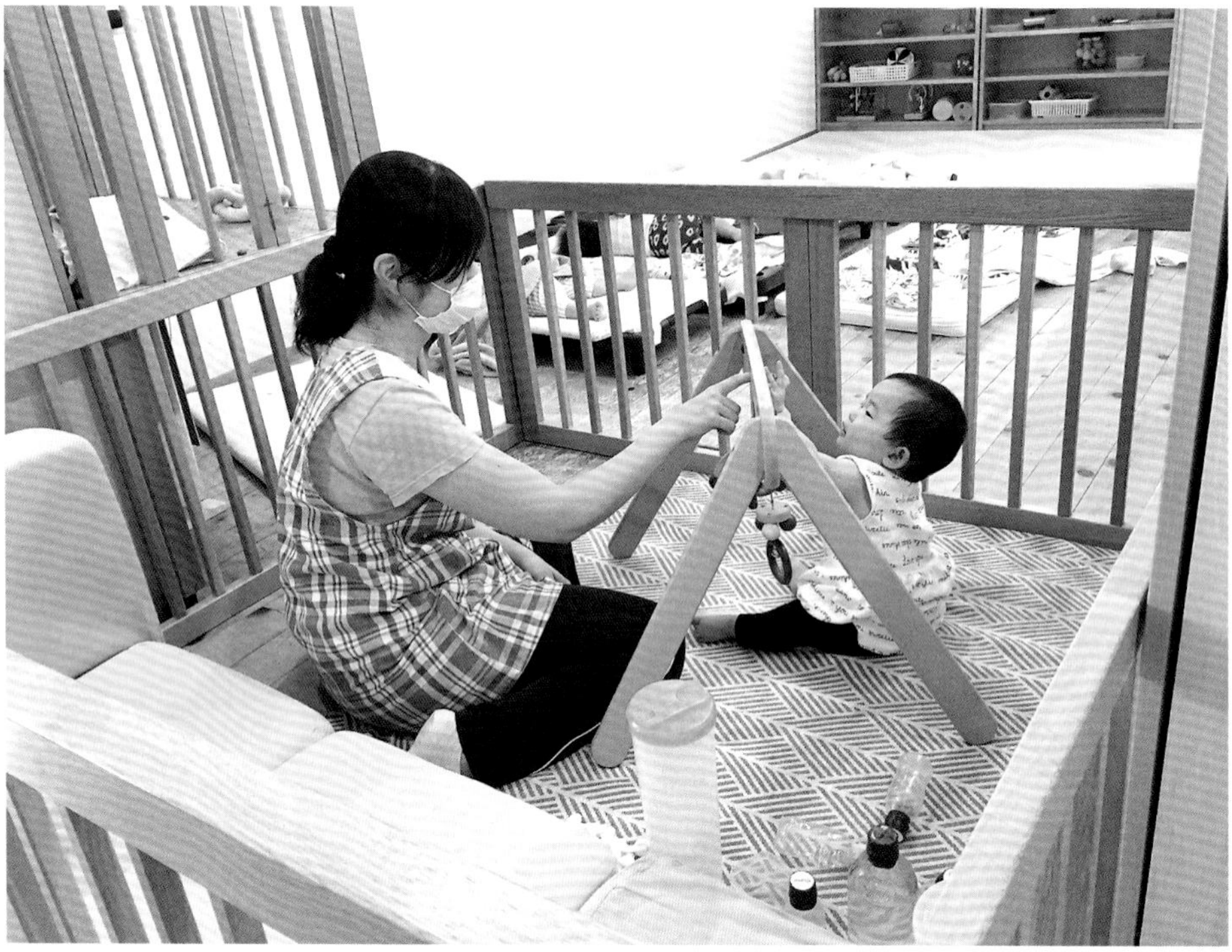

歩けない子の遊び場所

0歳児クラスでは、遊びゾーンにベビーサークルを置くことがあります。その場合、棚とマットのセットをベビーサークルと入れ替えます。ベビーサークルの中には必ず保育者が入り、子どもに対応します。目安は、180㎝角程度のベビーサークルの中に、保育者1人、子ども3人までとします。

ベビーサークルは、子どもを閉じ込めておく場所ではなく、まだ歩けない子が、安全に遊ぶための場所です。子どもが好きなおもちゃをいくつか入れておき、自由に選べるようにします。

柵の内側におもちゃを取り付けると、ハイハイやつかまり立ちを誘導できます。柵の外側に取り付けると、ベビーサークルの外にいる子どもが遊べます。壁から離して設置すると、柵を伝いながら回遊するなどして、歩く練習ができます。

ベビーサークルのこんな使い方はNG！

長時間子どもを入れっぱなしにしている

長時間、子どもを閉じ込めている場合がある。サークルの中は、好きなおもちゃや保育者と遊べる楽しい場所でなければならない。子どもが「閉じ込められている」と感じることがないようにしたい。事故予防の観点からも避けたい。

子どもを待たせるために利用している

食事や午睡の準備をする間など、作業の邪魔にならないように、子どもの一時避難場所として利用している場合があるが、かみつきなど、子ども同士のトラブルになりやすい。大人の都合で子どもを動かすために利用するのは、本来の使い方ではない。

関係のないものの置き場になっている

タオルや洗濯物をかける場所になっていたり、暖房器具や加湿器など子どもに触られたくないものや、ふだん使わない粗大遊びのための遊具などを置いている場合がある。ベビーサークルが不要な場合はかたづけ、遊びゾーンを有効に使えるようにする。

おもちゃの置き方

「遊びたい！」と思わせる工夫

子どもが自らおもちゃを選べるような収納を考えます。そのためには、一つひとつのおもちゃが子どもの視界に入るような置き場所や置き方を考え、ゆとりをもって棚に並べます。

重いものは棚の下段に置くなど安全面に配慮するほか、とくに0歳児クラスでは、ハイハイをしている子どもの手が届くところに置くような工夫も必要です。

発達に合わせたおもちゃ選び

51ページで紹介した4種類の遊びが経験できるおもちゃをバランスよくそろえ、子どもの興味・関心や発達段階に応じて、適宜入れ替えます。

子どもは、その時に自分が獲得したい技能を使う遊びを好み、何度もくり返します。たとえば、手先でものがつまめるようになった子どもは、ティッシュペーパーを際限なくつまんで引っ張り出してしまうことがあります。これは、いたずらしようと思っているわけではなく、指先でつまめるようになったので、単純にやってみたいのです。保育者は子どもの遊びや生活の様子を見ながら、その時々に必要なおもちゃを提供していきましょう。

かたづけを「遊び化」する

おもちゃは、箱などにまとめて収納するのではなく、遊びの種類で置き場所を決めることが大切です。遊んだら、その場所に戻すことをくり返す中で、かたづけることも遊びに組み込まれていきます。

とはいえ、置き場所を「必ずこの場所」と固定しすぎるのも窮屈です。「棚のこの辺りに戻せばよい」と、おおよそのルールを決めておけばよいでしょう。色別や形別など、かたづけることを、いかに「遊び化」させられるかどうかは、保育者の腕の見せどころです。

保育者が取り出すおもちゃは、子どもの手の届かない高さの棚に置く。

0歳児クラスの棚

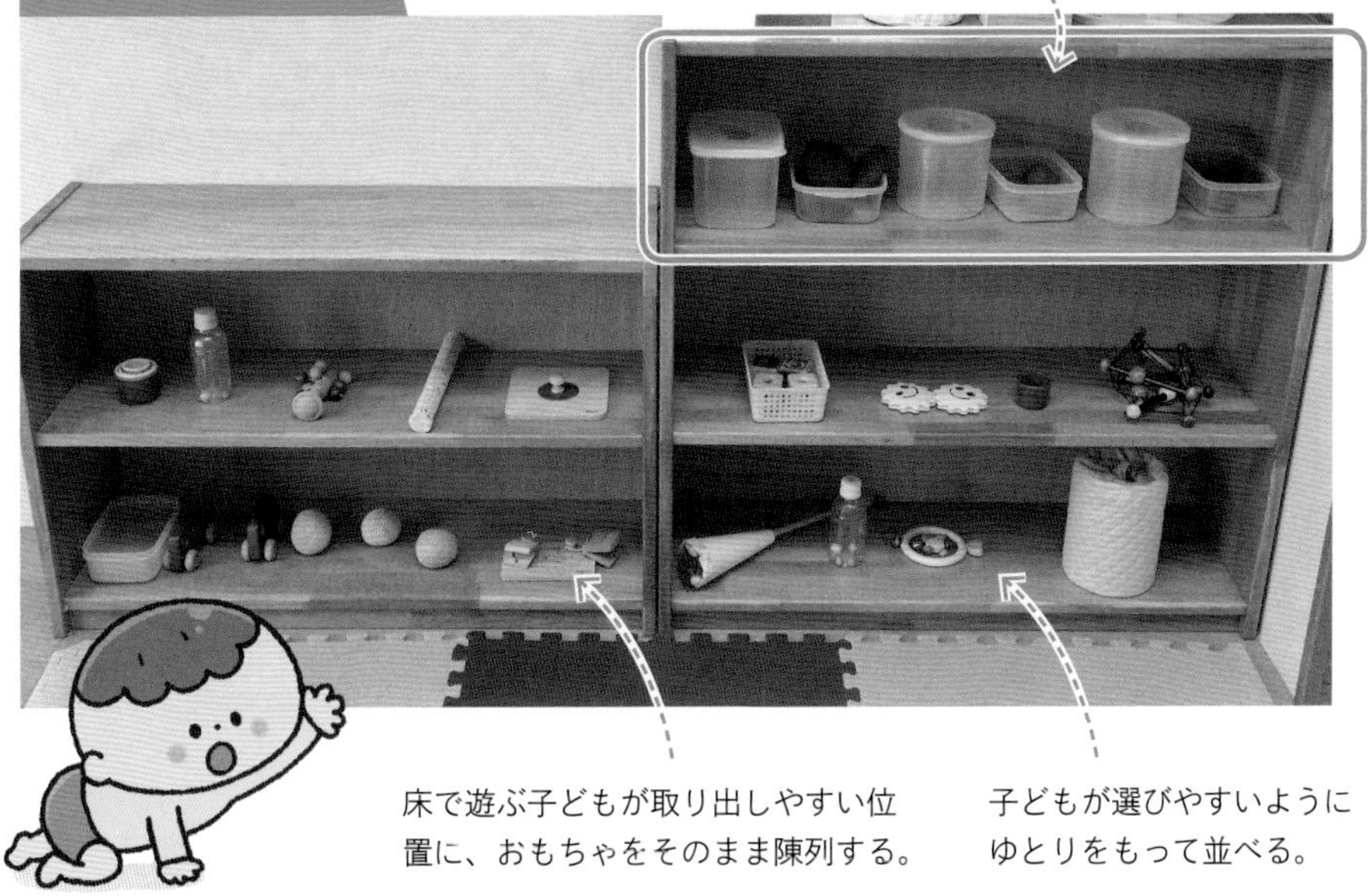

床で遊ぶ子どもが取り出しやすい位置に、おもちゃをそのまま陳列する。

子どもが選びやすいようにゆとりをもって並べる。

遊びが変わると
おもちゃの種類や収納が変わる

「人形に何かを食べさせる」といったように、組み合わせて遊べるものを近いエリアに置く。

1歳児クラスの棚

子どもが運びやすいよう、細かいパーツのあるおもちゃは、かごやトレーに入れる。

遊びが変化する時

0歳児クラス

寝返り、ハイハイ、伝い歩きと成長にしたがって、手を伸ばして、床にあるおもちゃを取ったり握ったりする。

1歳児クラス 前期

床遊びが中心で、手指の発達が盛んになる時期。棚のおもちゃを自分で取りに行く。くぐったり、低い段差を歩いて越えるなどの体を動かす遊びもできる。

床からテーブルへの移行

乳幼児期は成長のスピードが早く、身体能力も含め、変化の大きい時期です。そのため、子どもに適した遊びも短期間で大きく変わります。

とくに1歳児の変化は大きく、前期では床での遊びが中心で、後期からはテーブルを使った机上遊びを取り入れます。

机上遊びに使うテーブルは、食事にも利用します。手指を使う遊びをふんだんに取り入れると、食器や食具を使う手の動きなど、「生活に必要な技能」を遊びの中で身に付けられます。

机上遊びは、終わり（完成形）のある、達成感が感じられる遊びです。終わりがあるということは、かたづけられるということでもあります。1歳児クラスの終わり頃から、好きなおもちゃを棚から持ち出し、完成したら棚に戻すまでを、一つの遊びにできるとよいでしょう。

1歳児クラス 後期

はめ絵やパズル、お絵描きなど、座卓やテーブルを使った机上遊びを取り入れる。しゃがんだりまたいだりする動きのある遊びもできる。

2歳児クラス

おもちゃを何かに見立てるなど、ごっこ遊びの導入期。おもちゃをもとにあった場所に戻せる。ジャンプしたり走ったりする遊びもできる。

遊びゾーンを広げる

遊びの変化に応じてスペースを広げたい場合があります。保育室の中だけでは限界があるので、テラスや廊下などの共有スペースを活用してみましょう。ふだん遊んでいるおもちゃも、場所が変わることで、これまでとは違った感覚で遊べたりします。また、共有スペースを利用することで、ほかのクラスの子どもと交わるよい機会にもなります。

テラスにおもちゃを出して遊ぶだけで、いつものおもちゃが違って見える。

	2歳児
	25 26 27 28 29 30 31 32 33 34 35 36
	自我の育ちを受け止める
	机上
	見立て遊び、つもり遊びを楽しむ 遊びの中で生活を再現する 積み木でつくったものを見立てる 粘土遊びを楽しむ どろんこ遊びを楽しむ 友だちと手をつないで歩く 友だちとごっこ遊びを楽しむ 積み木を組み合わせて遊ぶ 簡単なルールのある遊びを楽しむ
	三輪車に乗って地面を蹴って進む　両足で跳ぶ ぶら下がる 片足ずつ階段をのぼる 両足跳びで前進する 両手に持ったボールを頭上から投げる
	ねじってちぎるなど連続した手指の動作をする 人差し指と中指で「2」を示す 音楽に合わせて両手を同時に動かす 粘土をこねて形の変化を楽しむ ゆっくり円を描く
	●イメージを膨らませることのできる、シンプルなままごとグッズを用意する。 ●おもちゃのバリエーションを増やしていく。 粘土(小麦粘土など) お絵描き(クレヨン・パステル) 絵本 パズル(習熟度によって選べるように) スナップを付ける遊び ハンカチ(広げる、たたむ)　など ●おもちゃのバリエーションを増やしていく。 積み木(背丈まで積む) パズル(習熟度によって二重パズルも) 人形の着替え お医者さんごっこ　など

おもちゃの種類

機能獲得系

粗大遊びのほか、入れたり出したり、並べたり積んだりして、運動機能の獲得や手先の巧緻性、知的発達を促すおもちゃ。

穴に入れる

認知系

様々な色や形、素材、音、大きさなどにふれ、五感の発達を促すおもちゃ。

色を合わせて並べる

感覚統合系

五感や体のバランス感覚など、様々な感覚情報を整理したり関連付けたりして、うまく行動できるようにする力を育てるおもちゃ。

引っ張り出す

社会性・情緒系

ごっこ遊びやなりきり遊びなどに用いるおもちゃ。自分が何かになること、世話をする存在になることで、社会的知性を育てる。

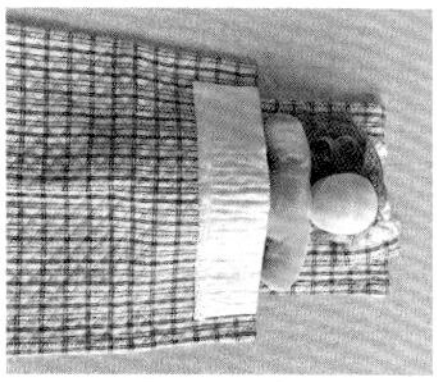

世話をする

保育室での遊びの変化

クラス	0歳児													1歳児											
月齢	0	1	2	3	4	5	6	7	8	9	10	11	12	13	14	15	16	17	18	19	20	21	22	23	24
目標	基本的信頼感・安定感を確立する													探索活動を保障し見守る											
場所	床																								

子どもの姿	あやしてもらって喜ぶ くすぐりなどを期待する 見立てる 積み木を楽しむ つまむ、たたく、引っ張るなど手指を使って遊ぶ 大人のしぐさを模倣する しゃがんで遊ぶ 音・光・動くものを見る 持っているものを渡す しぐさでやりとりをする 砂遊び・水遊びを楽しむ ティッシュなどを引っ張り出す すべり台を楽しむ 過去の体験を模倣する 昼夜の区別ができてくる リズムに合わせて体を動かす 友だちと一緒に走る 音のするものに興味をもつ
体の発達	首がすわる 寝返りをうつ つかまり立ちをする 一人歩きする バランスをとって歩く 走る あお向けで足をつかむ おすわりする 箱に入ったり出たりする またのぞきをする 音に合わせて歩く ずりばい→よつばい→たかばいをする 押し歩く あとずさりで歩く 引き歩く 飛びおりる 手と口の協応が始まる つたい歩きをする かかとをあげて深くしゃがむ 両足をそろえてジャンプする ボールを蹴る 関心のあるものに手を伸ばす 階段を歩いてのぼる 興味があるものを目で追う 階段をよつばいでのぼり、足からはっておりる 段差を後ろ向きにはっておりる
手指の発達	手指をしゃぶる 親指を外側に出してものを握る つまむ、めくる フックにかける、はずすができる ねじってフタを開ける 握ったものを振る 右手から左手にものを持ち替える 並べる遊びをする 簡単なひも通しをする 両手に1つずつおもちゃを持つ 手指をひねる遊びする 指先の力を加減してつまむ 興味のあるものを指さす 紙を破ったり、丸めたりする 指先3本でつまんで落とす スナップをはめる 手のひらで握って落とす 器からものを出したり入れたりする クレヨンでぐるぐる描きができる そっと積む 点や線のなぐり描きができる 左右往復のなぐり描きができる 利き手がはっきりする
環境構成のヒント	●声や音の鳴るおもちゃで働きかけて、子どもが顔を上げたり、寝返りするのを応援する。 ●左右に寝返りするように働きかける。 ●ずりばいからおすわり、おすわりからずりばいをくり返せるように、おもちゃの数や種類を十分に用意して棚に置く。 ●おもちゃなどを体の横に置いて、ピボットターン（前に進まず、その場でぐるぐる回る）を誘発する。 ●様々なバリエーションでハイハイを楽しめるようにする。 ●立ったり座ったりを応援するおもちゃを置く。 ●手を伸ばしたら届く、少し高い位置におもちゃをぶら下げる。 ●動いて遊ぶ場所と座って遊ぶ場所を分ける。 ●手指を使って遊ぶおもちゃを用意する（つまむ、たたく、引っ張る、かける、はずすなど）。 ●リズミカルな言葉が登場する絵本を読み聞かせる。 ●おもちゃのバリエーションを増やしていく。 積み木（2～4個） ボール すべり台　など ●見立て遊び（人形とお世話グッズ、ままごとなど）を用意する。 ●1人でじっくり遊べるように、マットなどで座って遊ぶゾーンを明確にする。 ●くり返しが楽しいストーリーの絵本を用意する。 ●机上遊びを取り入れる。 ●おもちゃのバリエーションを増やしていく。 積み木（8個） 簡単な型はめ ひも通し スタンプ 新聞紙ちぎり

※発達には個人差があります。

column

園内のおもちゃを管理する

保育者にとって「おもちゃ」は、仕事道具です。たとえば、大工が自分の持つ道具の種類や使い方、収納場所を把握しているように、おもちゃは保育者にとっての大工道具のようなものです。もし、園内のおもちゃを把握できていないようなら、リスト化することから始めてみましょう。

カード形式のリストをつくってファイリングしている園があります。ファイルはクラスごとにつくります。まず、おもちゃを新年度から提供する順に並べて、それを既製品と手づくり品に分けます。そして、1点ずつ写真を撮ります。次に、カードをつくります。カードにはおもちゃの写真を貼り、おもちゃの名前、対象月齢、そのおもちゃで育つこと、遊び方を記入します。手づくり品の場合は、つくり方も載せます。

既製品と手づくり品に分けてファイリングしたら、職員室などの手に取りやすい場所に置き、職員で共有します。ここで大切なのは、リストを更新する手順を決めておくことです。せっかくリストをつくっても、情報が古いままだと利用価値が下がっていきます。

ICT化が進む中、保育中にタブレット端末などを利用する園も増えています。紙ベースで管理しているリストを、デジタルに移行することで、もっと管理しやすくなるかもしれません。

玩具名	ねずみのボタンつなぎ	月齢	30ケ月～
		育てること	
		・手、指、機能と目と手の協応を促す。 ・繰り返し遊ぶことで物の性質が分かる。 ・両手の協応、手先の器用さ。	
		作り方	
		①水色の布をお手玉を作るようにねずみの形に縫う。 ②フェルトを耳の形に切って縫い、目は刺繍する。 ③鼻の部分にくるみボタンを縫い、しっぽにひもを輪の状態にして縫い付ける。	
		遊び方	
備考		・ねずみの鼻についているボタンとしっぽをつなぐ。 ・輪っかのようにつなぐ。	

リストがあると、単に「子どもの好きなおもちゃ」を提供するのではなく、発達段階に沿ったおもちゃが提供できているか、育てたい機能をもつおもちゃがあるかなど、深い検討ができる。新年度や子どもの発達に合っているか気になる時に、リストを見ながら選び方、並べ方を考えることが多い。職員の利便性を考えて、タブレット端末を使ったリスト管理への移行も検討中。（遍照こども園）

第4章

食事ゾーン

食事ゾーン配置の基本

入口のそばに配置

食事の配膳方法にはいくつかの種類がありますが、0・1・2歳児のクラスでは、調理室で個々に盛り付けたものを保育室まで運搬してくる個別配膳が一般的です。そのため食事ゾーンは、食事を運ぶワゴンの出し入れがしやすい、保育室の入口のそばに配置します。

調乳室や手洗い台との動線も配慮したいところですが、うまくいかない場合もあるでしょう。たとえば、0歳児は手洗い台を使わず、テーブルに着いたら、ぬれタオルで手を拭いてあげるなど、環境に応じた対応を考えます。

集中して食事と向き合う

3歳までに食事の基本的なマナーを身に付け、自ら食事ができるようになることをめざします。

0・1・2歳児の食事シーンでは、落ち着いた環境で、集中して食事に向き合える空間をつくります。年齢が低いほど、食事ゾーン全体を棚などで仕切り、食べている時には、ほかのゾーンにいる子どもが見えないように、また、食べている子どもの視線の届く場所には、おもちゃなどが見えないようにします。

発達にしたがって開放的に

食事に慣れてきたら、1歳児クラスの終わり頃から、開放的な空間での食事を試していきます。うまく進めば、食事ゾーンをほかのゾーンと共有して使えるようになります。

発達とともに自我が芽生え、他者を意識するようになるので、一緒に食卓を囲んで友だちと自分を比較するなどして、食べる技能を習得していくこともあります。また、見通しがよくなることで、保育者は子どもを見守りやすくなります。限られた空間、与えられた環境をいかに工夫して使うかが重要です。

配置のポイント

1 保育室へのワゴンの出し入れがしやすい場所にする

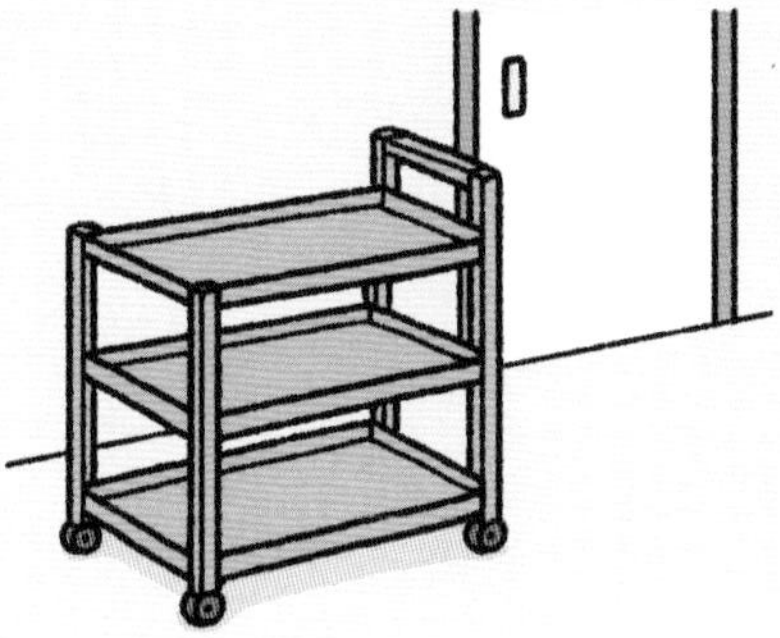

2 調乳室や手洗い台からの動線を配慮する

3 低年齢児ほど空間をしっかり分け、発達にしたがって開放的な空間にしていく

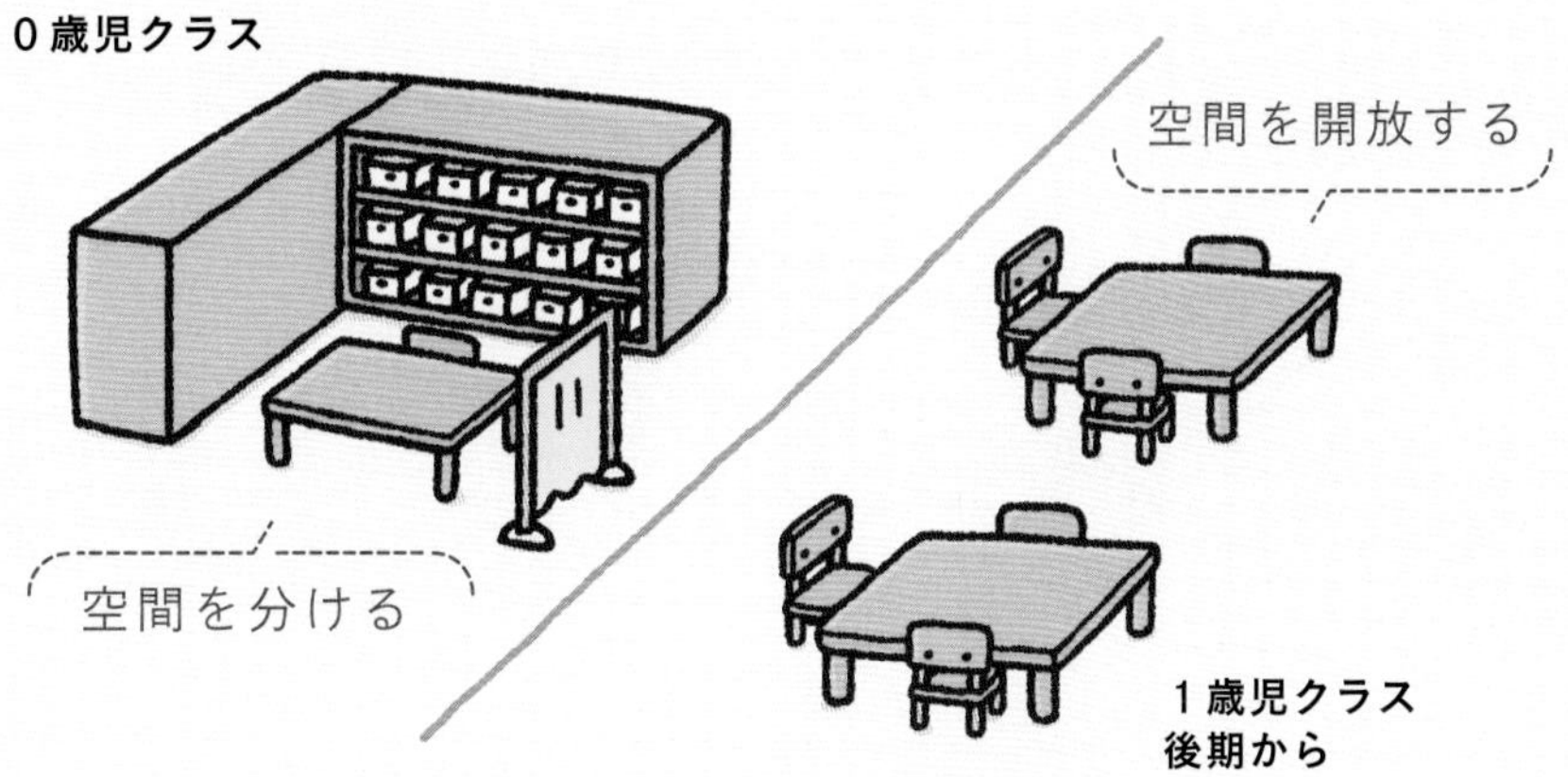

0歳児クラスの家具の置き方

落ち着ける空間づくり

目の前の食事に興味をもち、食べることに慣れていく時期で、保育者が1対1で丁寧に個別対応します。目安として、20分間座って食べられる子どもは、低いテーブルと椅子を使います。そうでない子どもは、高いテーブルを使い保育者が抱っこして対応します。

低いテーブルで子どもと保育者が向かい合って座る場合は、60㎝角ほどの天板がちょうどよい大きさです。天板の角をはさんで座る場合は、利き手で対応しやすいように、保育者が右利きなら向かって左側に子どもが座ります。

隣で食べる子どもの様子が気にならないよう、棚やついたてを間に置いて、食事ゾーンの中も区切るとよいでしょう。

また、**子どもが食べ始めてから保育者が何度も立ったり座ったりすることがないよう、家具や用品の配置を考えます。**理想は、飛行機のコックピットのように、座ったままで必要なものに手が届く環境です。

食事中の保育者の配置

69ページの図は、28〜29ページの例を参考にしたものです。1対1の対応で同時に2人の子どもが食事をしている間は、残りの7人が遊んだり午睡したりしている状況です。担任が3人いるクラスの場合、2人の保育者が食事に対応していると、残りの保育者が1人で7人の子どもの対応をするのは難しく、補助の保育者が必要です。

このように、1日の中でも特に食事の時間帯は、保育者の配置を手厚くしたいものです。0歳児は生活リズムが確立されていないなど、想定外の出来事が起こり、思い通りに食事が進まないことがよくあります。40〜42ページの「保育環境マップ」は、子どものペースに合わせた職員配置を考える際に役立ちますので、参考にしてみてください。

人と家具の配置例

(保育者４人・子ども９人)

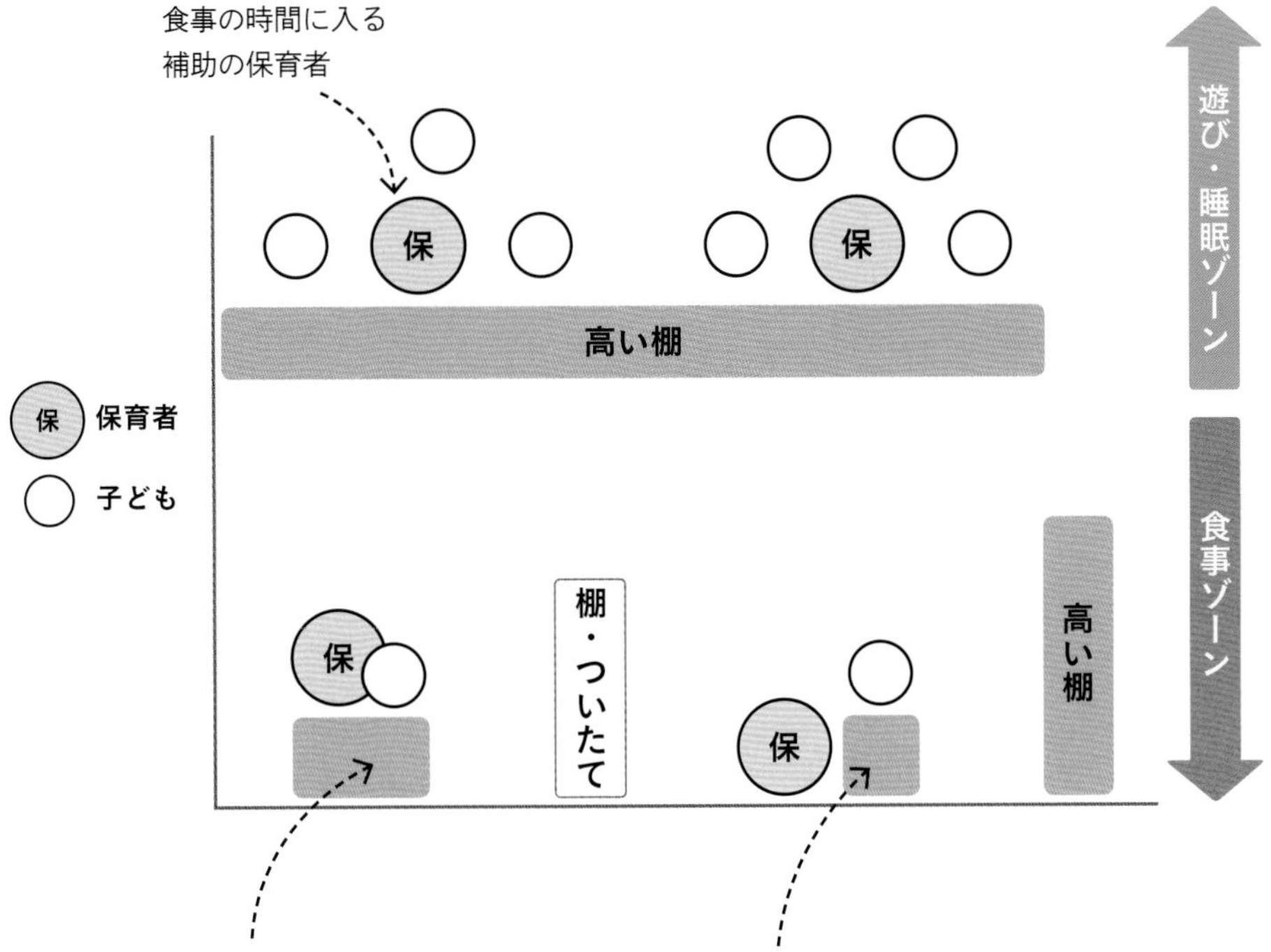

高いテーブルと椅子
抱っこで対応する場合に使う。

低いテーブルと椅子
保育者が右利きの場合の配置。座って食べられる子どもが利用する。天板は60cm角程度が使いやすい。保育者が立ち歩かなくてすむように、必要なものを手に取りやすいところに置く。

1歳児クラスの家具の置き方

複数人での食事に慣れる

手づかみ食べからスプーンを使った食事へと、変化していく時期です。保育者は同じテーブルで2～3人の子どもに対応します。

複数人での食事に慣れるまで、ほかのスペースとの間は高い棚で仕切ります。年度の後期は、仕切りを低い棚に変えたりかたづけたりして、部屋の見通しがよくなると、保育者同士の連携もとりやすくなります（33ページ参照）。

手洗い台からの動線、ワゴンの出し入れなどに考慮しつつ、十分なスペースを確保してください。

保育者の利き手によって変わる座り方

1つのテーブルに保育者1人、子ども2～3人が座ります。71ページの図は、保育者が右利きの場合を想定しています。①に座るのは、もっとも援助が必要な子どもです。

③の子どもは、それほど援助しなくても完食でき、スプーンがある程度使えるようになっていることが目安です。左利きの場合は、①と③の子どもを入れ替えます。①②の子どもには、保育者がスプーンで食べさせたり、子どもがスプーンを持つ手の援助をしたりします。

食事中の保育者の配置

71ページの図は32～33ページの例を参考にしたものです。1対3で食べる人数と順序は、子どもが12人のクラスでは、3人→6人→3人の3回転にするとよいでしょう。71ページの図は2回転目の人の配置を示しています。

遊びゾーンは睡眠ゾーンと共有しています。食事の対応をしていない保育者が、奥から順に寝具を敷いていきます。そして、食事が終わって午睡する子どもと、食事の前に遊んでいる子どもの両方を見守ります。

人と家具の配置例

(保育者３人・子ども12人)

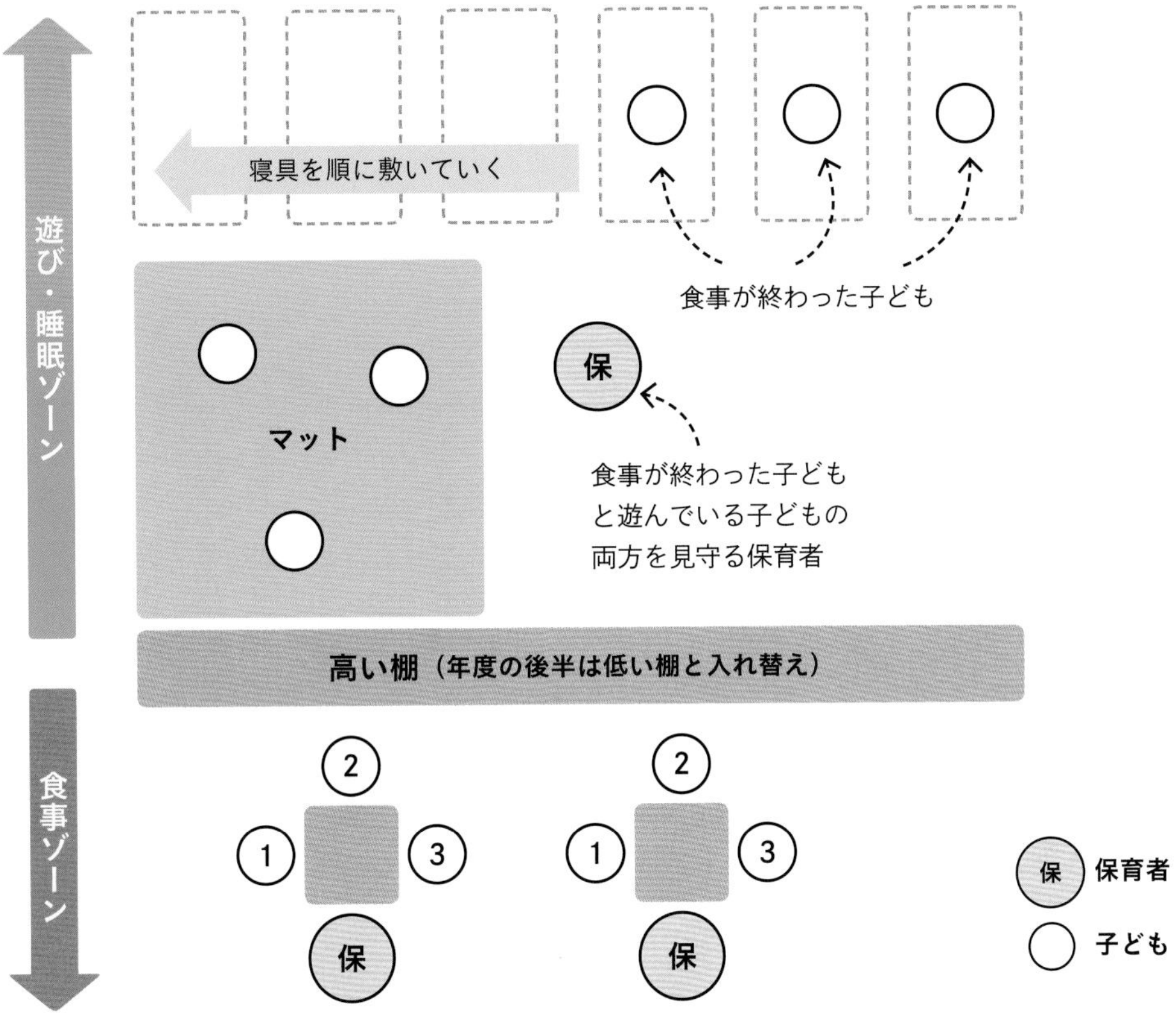

保育者が右利きの場合の配置。①から順に援助の必要な子どもが座る。③の子どもは、それほど援助しなくても完食でき、スプーンを使って食べられることが目安。

テーブルと椅子の高さ調節

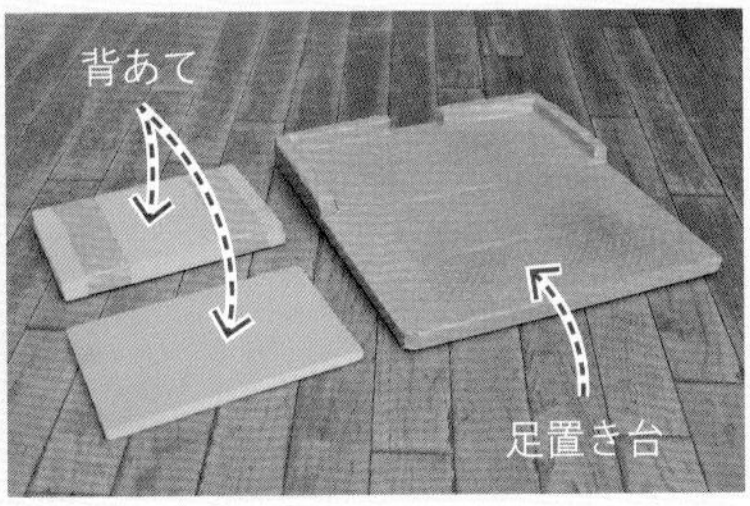

子どもの足の裏がしっかり床に付いていないなど、家具が体に合っていない場合は、足置き台や背あてなどで調節する。写真は、バスマットを切ってつくったもの。

2歳児クラスの家具の置き方

ゾーンを共有する

友だちと一緒に食べることに慣れてくると、食事ゾーンには仕切りを設けず、遊び・睡眠ゾーンと共有することができます。空間が開放的になり、保育者同士の連携がとりやすくなります。

ただし、年度の初めは一人でスプーンを使って完食できる子どもはまだ少ないため、個別の見守りが必要です。クラスで一斉に食事をするのは、3歳児クラスになってからでよいでしょう。

可動する家具で空間を広げる

座り方は1歳児クラスと同じです。1つのテーブルに子ども3人が座り、保育者の利き手側に、ほとんど援助なしで完食できる子どもが座ります。

73ページの図は、39ページの「平常時」から可動する家具を移動し、食事ゾーンを設定したところです。家具は、遊びゾーンのままごと遊びで使っているテーブルを利用します。食べる人数と順序は、子どもが15人のクラスでは、6人→6人→3人の3回転にするとよいでしょう。73ページの図は、1回転目の人の配置を示しています。

6人が食事をし、残りの9人は遊んでいます。食事の対応をしていない保育者は、遊んでいる子どもを見守りつつ、寝具を順に敷いていきます。3回転目の食事が終わったら、食事ゾーンのテーブルと椅子をかたづけて、そこにも寝具を敷きます。

試行錯誤でベターを見つける

食事・遊び・睡眠のゾーンを共有しない広さがあればよいのですが、状況によっては、やむを得ない場合がよくあります。子どもと保育者をどのように配置して動けばよいかをシミュレーションし、実際に試しながら、使いやすさを追求していきましょう。

人と家具の配置例

（保育者３人・子ども15人）

39ページ「平常時」から食事ゾーンをつくる

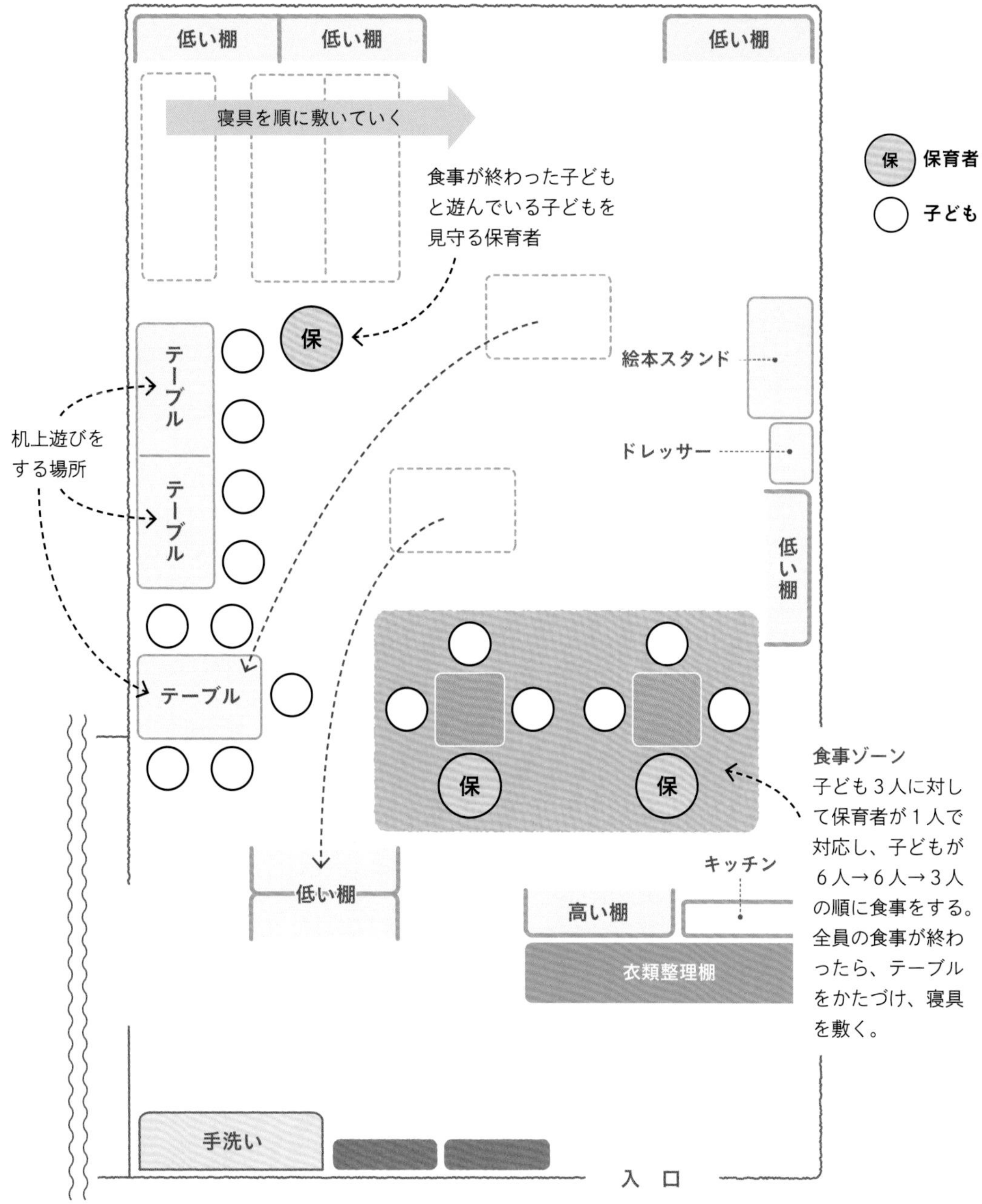

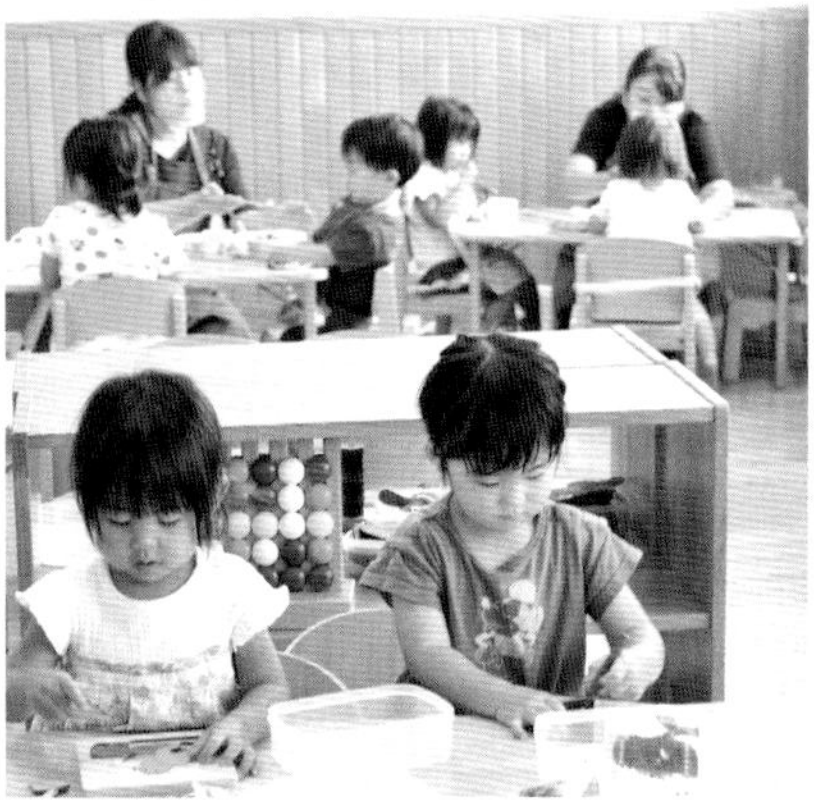

見守り方の工夫

なぜ一斉に食べないほうがよいのか

食事を通して身に付く「生活に必要な技能」は多く、3歳児までは食事を中心に生活がまわっていると言ってもよいほどです。食事中の子どもの様子を観察することで、その子の発達が今どの段階にあるのかがよくわかります。お茶や汁ものを飲む口の様子、咀嚼の様子、食具を握る手の様子、椅子の座り方……、挙げればきりがありません。ですから、年齢が低ければ低いほど食べる様子をじっくり見て、どのような援助が必要かを考えることが、食事以外の保育にも大きく影響します。

子ども自身も、食事を他者と楽しむような段階にはなく、目の前にある食べ物と向き合う時期です。まずは、「時間になったら先生と食事をする」という見通しと安心感をもたせることが大切で、おなかのすいた子どもから順に、少ない人数で食べるようにします。

食事前の机上遊び

0〜1歳児クラスでは、食べていない子どもの安全に配慮して、食事の時間に保育者を補充できるような工夫が必要です。

2歳児クラスになったら、食事の前にパズルやはめ絵のような「終わりのある遊び」、机上遊びを取り入れます。見守る保育者が少なくても、食事へのスムーズな流れがつくれます。

限られたスペースを上手に使う

限られたスペースの中で、食事から午睡までの保育を進めていくには工夫が必要です。75ページの図は保育者3人、子ども18人の2歳児クラスをイメージしたシミュレーションです。

ついたてや可動する棚を動かして、空間をわかりやすく仕切ることで、子どもは戸惑わずに行動できます。

限られたスペースの活用例

（保育者３人・子ども18人）

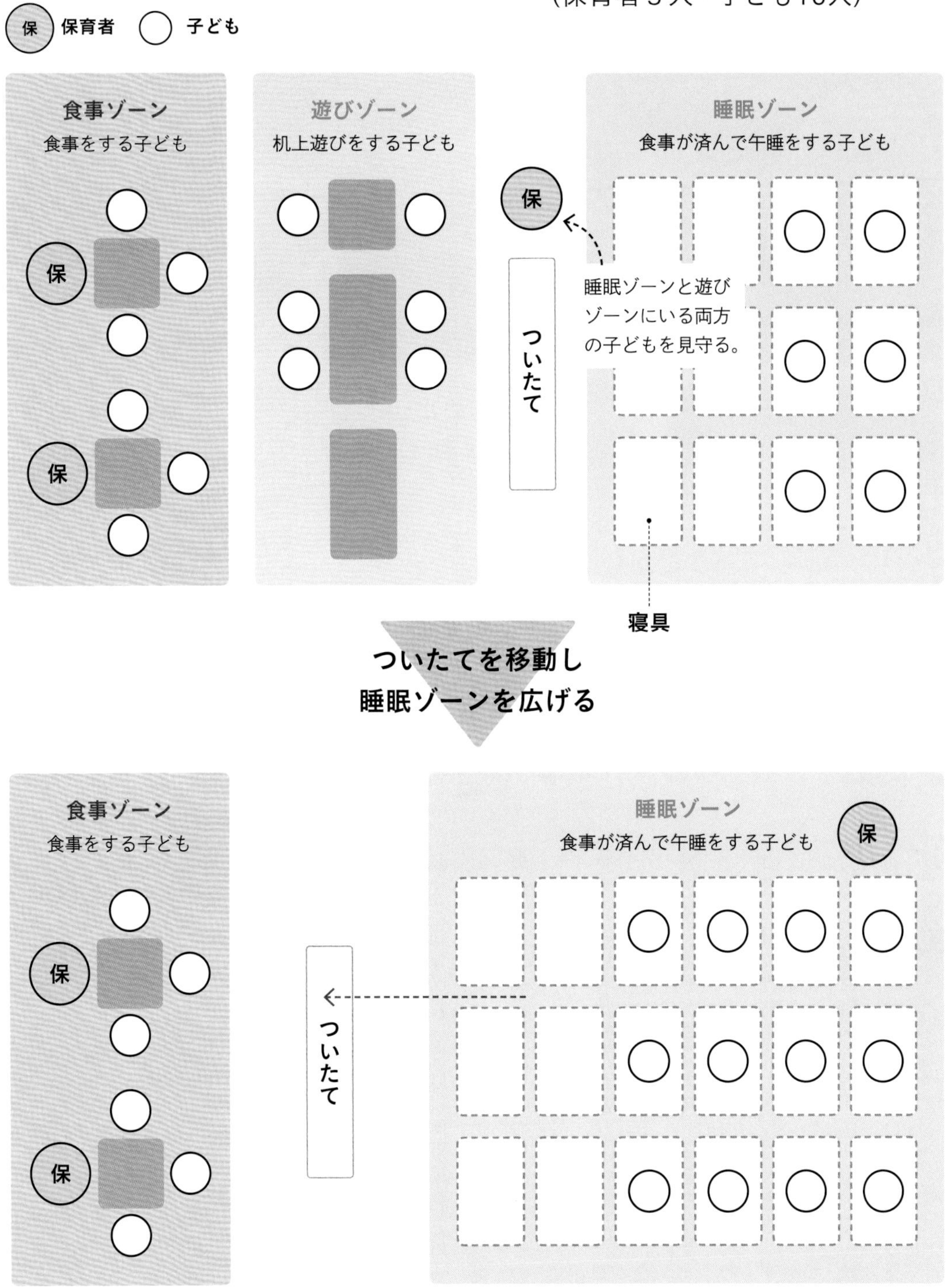

column

食事前後の環境づくり

「どのくらい食べられるかな？」
と尋ねながらごはんを盛り付ける。
（くらき永田保育園）

わかりやすい環境があれば、食器のあとかたづけも２歳児クラスの終わり頃から挑戦できる。（くらき永田保育園）

子どもが主体的に動くためには、「この後どうなるのか」の見通しが立てられるようになることです。見通しが立つと、それが安心感につながっていきます。こうした安心感を育てるには、わかりやすい環境の中で、日々の生活が手順どおりに行われていくことだと思います。

そこで、食事の準備からあとかたづけという日々くり返される活動に、子どもが主体的になれるような仕掛けを散りばめてみます。たとえば、個別配膳される給食でも、ごはんの盛り付けだけは保育者が子どもの目の前でやってみる、という方法があります。「これから食事が始まる」という気持ちを盛り上げるだけでなく、保育者が盛り付ける手の動きや道具の使い方を見ることで、子どもは学んでいきます。また、２歳児クラスの終わり頃には、食器のあとかたづけを少しずつ取り入れてみるのもよいでしょう。この場合、保育者から指示されなくても動けるような、わかりやすい環境づくりを考えます。

第5章

睡眠ゾーン

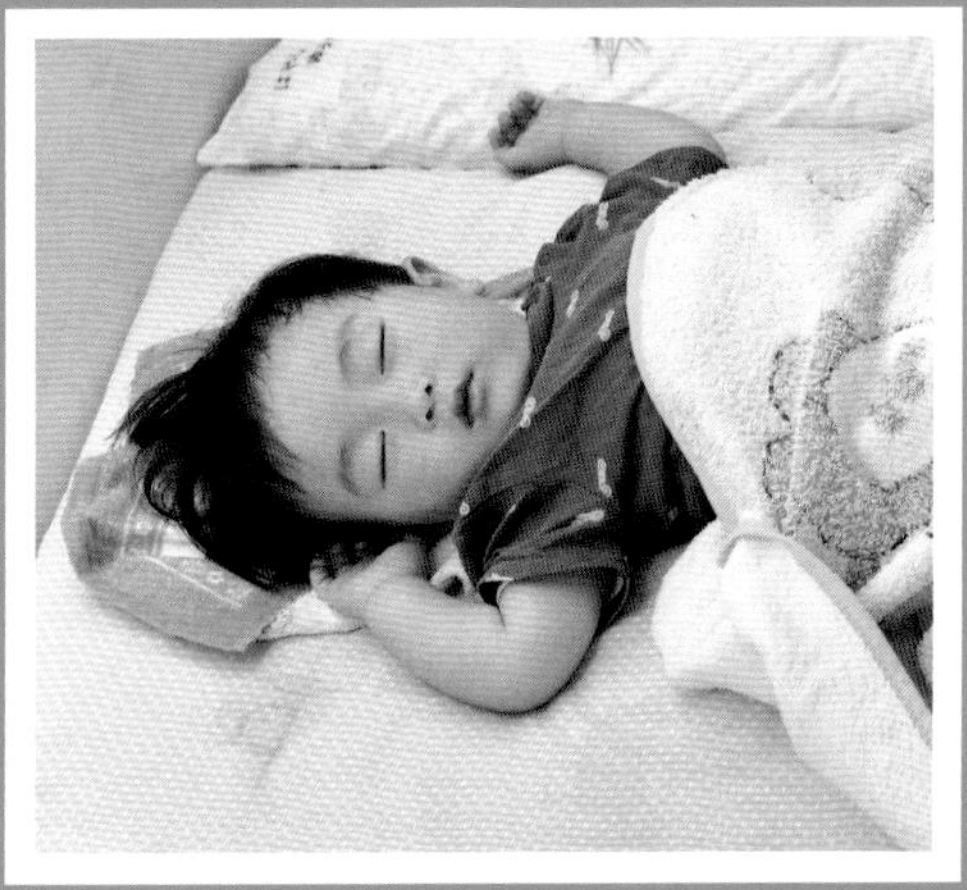

睡眠ゾーン配置の基本

落ち着いて眠れる場所

５つのゾーンのうち、最初に配置を決めたいのが睡眠ゾーンです。保育室を見渡して、いちばん落ち着いて眠ることができる場所はどこでしょうか。感覚的に選んでみると、おそらく誰もがだいたい同じ場所を示すと思います。

保育室の形や窓や扉の位置にもよりますが、たいていは**入口から離れた静かな場所が適しています。**ただし、家具の置き方次第では、部屋の中央に配置することもできます（29ページ参照）。

睡眠のリズムに合わせる

食べる・寝る・遊ぶ、の空間をしっかり分けられるのが理想ですが、それだけの広さがない場合は、遊ぶ空間と寝る空間を共有しなければなりません。

ただし、0歳児クラスや0・1歳児の混合クラスの場合は、子どもによって睡眠のリズムが異なるため、遊びと睡眠の空間は、しっかり分けるべきです。1歳児クラスになると、生活リズムも整い、多くの子どもが午睡の時間に一緒に寝られるようになります。そうなると、ゾーンを共有することができるようになるでしょう。

保育者の見守りやすさが重要

睡眠ゾーンで何よりも大切なことは、見守りのしやすさです。うつぶせ寝による窒息や乳幼児突然死症候群（ＳＩＤＳ）の予防・発見の観点から、0歳児では5分おき、1～2歳児では10分おきに午睡チェックを行うことが推奨されています。

そこで、0歳児クラスでは保育者が遊んでいる子どもを見守りながら、また、1～2歳児のクラスでは打ち合わせや連絡帳への記入などをしながら、保育者が寝ている子どもを見守りやすい配置を考えます。

配置のポイント

1 いちばん最初に場所を決める

2 保育室の入り口から離れた、静かで落ち着ける場所にする

3 ほかのゾーンからも見える、午睡チェックのしやすい環境にする

※うつぶせ寝の確認など、常に子どもの様子がわかるようにします。

4 子どもの睡眠リズムの違いに対応できるようにする

家具の置き方

遊びゾーンからの見え方

遊びゾーンと睡眠ゾーンは、床に座って子どもの遊びを見守っている保育者の視線を遮らないよう、低い棚でゆるやかに仕切ります。たとえば、高さ60㎝の棚の場合は、保育者は棚に背を向けて座っていても、ふり返った時に向こう側で寝ている子どもを確認することができます。

寝具の選び方

0歳児クラスでは、眠る時間の長い子ども用にベビーベッドを置きます。ベッドの必要な子どもの人数によって、数を調整しますが、眠る時間が短くなったり、利用する子どもがいなかったりする場合は使わなくなるため、収納場所も考慮します。

ベッドを使わなくなると、コットやふとんが必要です。最近は、コットを利用する園が増えています。コットは手入れがしやすいため、埃やダニアレルギーが起こりにくいだけでなく、子ども同士の接触で起こる窒息事故が予防できる、といった理由から選ばれています。

寝具の収納場所

コットもふとんも、あらかじめ収納場所を考えておかねばなりません。コットはしまい込まず、保育室の隅に積み重ねて置いている園もあります。

なお、コットやふとんのように大きなものを運ぶ作業は、子どもに刺激を与えます。食事や遊びの妨げにならないよう、子どもの目に付かない動線や収納場所の工夫ができればよいのですが、難しいこともあるでしょう。

その場合は、子どもが散歩などで外に出ているタイミングに、補助の保育者が寝具を運ぶなど、タイムスケジュールでの工夫が必要です。

遊びゾーンから見やすくする

睡眠ゾーンを仕切る棚は、低い棚にする。午睡中、保育者が遊びゾーンなどで打ち合わせをしたり、日誌や連絡帳を書いたりする場合、作業をしながらでも子どもを見守れるように配慮する。

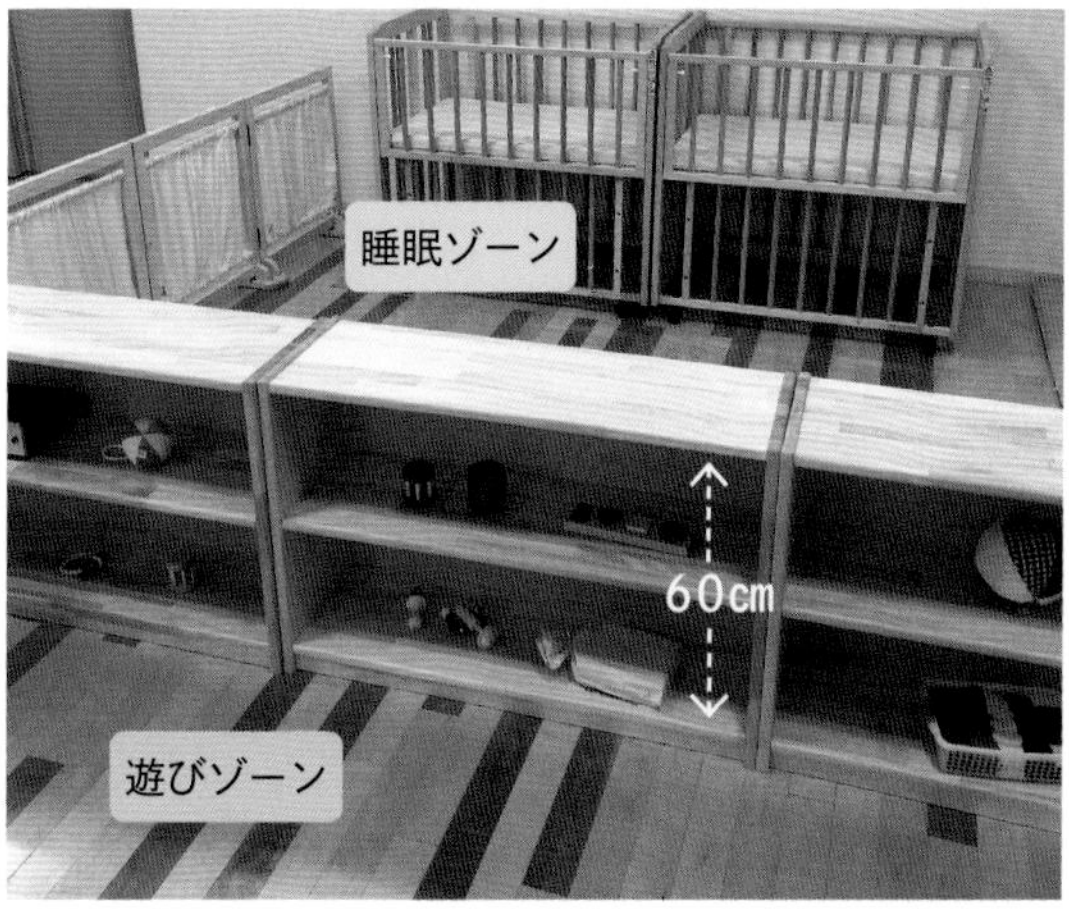

寝具は収納場所も含めて検討する

収納場所を決める際には、寝具の移動が子どもに刺激を与え、保育の流れを乱すことがあるため午睡準備の動線が重要。

子どものいる場所を通らねばならない場合は、タイムスケジュールを見直し、散歩などで子どもが保育室にいない時間帯に準備をするなどの工夫をする。

寝具の敷き方

子どもの頭同士を合わせると、ふざけ合ったり遊びに発展したりしがちなので、右図のように、足同士を合わせるようにする。

シラミがうつりやすくなるなど、衛生面からも足同士を合わせるほうがよい。

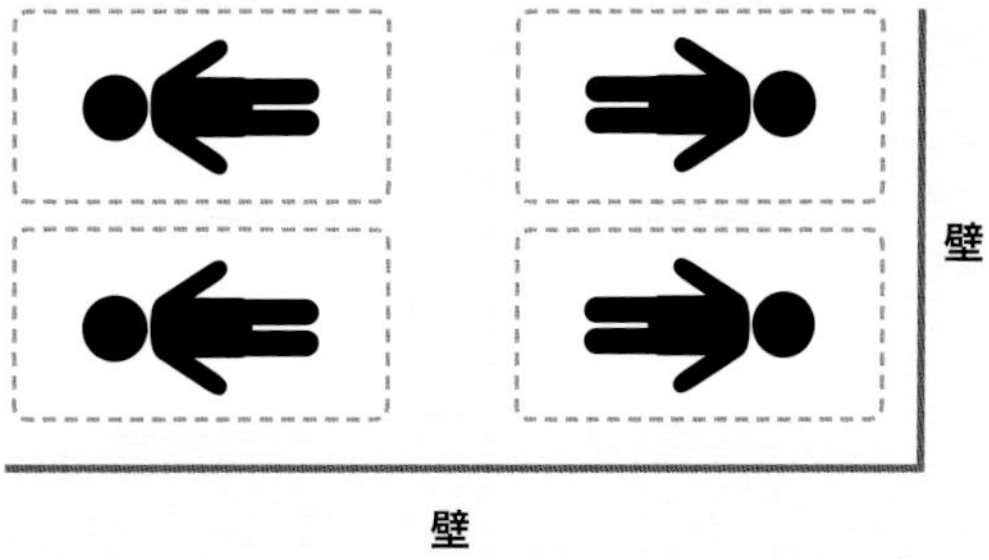

カーテン

カーテンは光を通す素材を使い、部屋を暗くしすぎないようにする。部屋の照明を消し、カーテンからこぼれる明かりで、薄暗く落ち着いた空間に。

天蓋

天井が低くなることで落ち着きのある空間に。また、照明の明かりをさえぎることができる。写真は、歩けない子どもがベビーサークルで午睡をすることがあるため、四方に柱をたて、カーテン、天蓋、吊るすおもちゃなどを取り付けたもの。

落ち着ける空間とは

電気を消し、カーテンを閉め、ふとんに行き「おやすみなさい」と声をかける。この当たり前のくり返しが子どもの安心感を育みます。

かつては午睡中に、遮光性の高いカーテンなどで暗くする園が多くありましたが、突然死を防ぐなどの安全面から、**寝ている子どもの様子を保育者が確認できる程度の明るさは必要です。**もちろん、あまり明るく開けた空間では、落ち着いて眠ることができません。眠る場所は、薄暗く包み込まれるような空間であることが理想です。そこで、必要に応じて、カーテンや天蓋などを使い、安心できる雰囲気をつくります。

近年では、照明器具も進化しています。目に直接光が入らないよう間接照明を取り入れたり、調光できるタイプのものに変えるのもよいでしょう。

手づくりインテリアグッズ

天蓋

用意するもの

- 布（防炎加工されたカーテン生地がおすすめ。長辺は設置したい場所の約2倍の長さ）
- ひも（麻ひも、たこ糸、テグスなど）
- ピンチ（4個）
- 天井用吊りフック（6個）
- 棒（布の短辺より長いもの。つっぱり棒など）

つくり方

天井に吊りフックを取り付け、布の中央をかけるための棒を吊るす。布の四隅にピンチを付け、ひもを結ぶ。棒に布をかけ、四隅のひもを吊りフックにかける。

※棒の高さやピンチを付けるひもの長さは、子どもの身長に合わせて調節します。

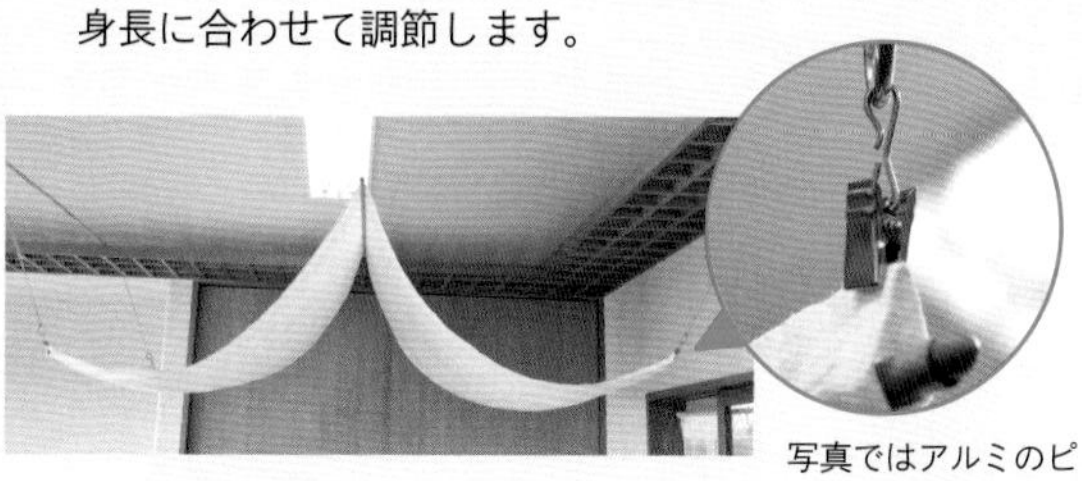

写真ではアルミのピンチを使用。

モビール

用意するもの

- リース土台
- ひも（麻ひも、たこ糸、テグスなど）
- オーナメント素材（どんぐりやまつぼっくりなどの自然物、100円ショップの装飾グッズなど）

つくり方

リース土台にひもを結び、オーナメント吊るす。

※自然物を取り入れると、ナチュラルな雰囲気になります。

※右の写真のように、木の枝と折り紙でつくるのもおすすめです。

つくり方指導／くらき永田保育園

column

「お座りの椅子」で子どもの居場所を明確にする

テラスに置かれた木製の「お座りの椅子」。高さの違う2種類を用意している。（くらき永田保育園）

保育者が一度に2〜3人を連れてトイレに行く時、散歩の身支度をする時など、活動の切り替えが必要な場合に、ほんの少しの時間、子どもが座って待てる場所がほしいことがあります。そんな時に役立つ椅子を「お座りの椅子」と名付けています。子どもが自分で歩いて座ることができるようになれば、0歳児から使うことができます。

「お座りの椅子」に座ることで、着脱などの作業がしやすくなるほか、保育者の援助や遊びの順番を待つ時に、子どもは先の見通しが立つようになります。ただ待たされるのではなく、そこに座ることで学習になるのです。

たとえば、トイレを済ませた後、ここに座って待っていれば保育者が着替えを手伝ってくれる。ここに座って靴を履けば、散歩に行ける。毎日のくり返しの中で、「お座りの椅子」に座ることの意味が理解できるようになると、「待たされる」のではなく、「主体的に待てる」ようになります。また、ほかの子どもが着

少人数で読み聞かせや手遊びをする時に、ちょこんと腰かけて集中する。（くらき永田保育園）

散歩の前後やトイレでの着脱などの時にあると便利。上の写真は、散歩の前に座って帽子と靴下を身に付ける場所。下の写真は、トイレの前後に座って衣服を着脱する場所。（くらき永田保育園）

のぼったりおりたり、平均台のような使い方もできる。（くらき永田保育園）

替えたり、体を動かしたりする様子を見ることでも学習します。子どもは、待たされているという意識をもたず、その時間を楽しめるようになるのです。

「お座りの椅子」は、0歳児なら1人、1歳児以上は2～3人が座れる大きさにして、子どものひざ下の長さより数センチ短い高さのものを用意します。低すぎると足がつかえてしまい、高すぎると足がぶらぶらとして安定しません。また、子どもは頭が重いので、高すぎると、靴下などを履こうとしてかがんだ時に前に倒れてしまうこともあるため、注意が必要です。

市販の椅子には、適当なサイズのものがなかなか見当たらないかもしれません。その場合は、手づくりすることをおすすめします。86ページに牛乳パックでつくる「お座りの椅子」を紹介しています。まずは牛乳パックで試し、使い方に慣れてきたら木製のしっかりしたものをDIYで手づくりするのもよいでしょう。

お座りの椅子のつくり方

用意するもの〈1ブロック分〉……牛乳パック11本

❶ 牛乳パックを折りたたんだものを、写真のように2枚重ねる。

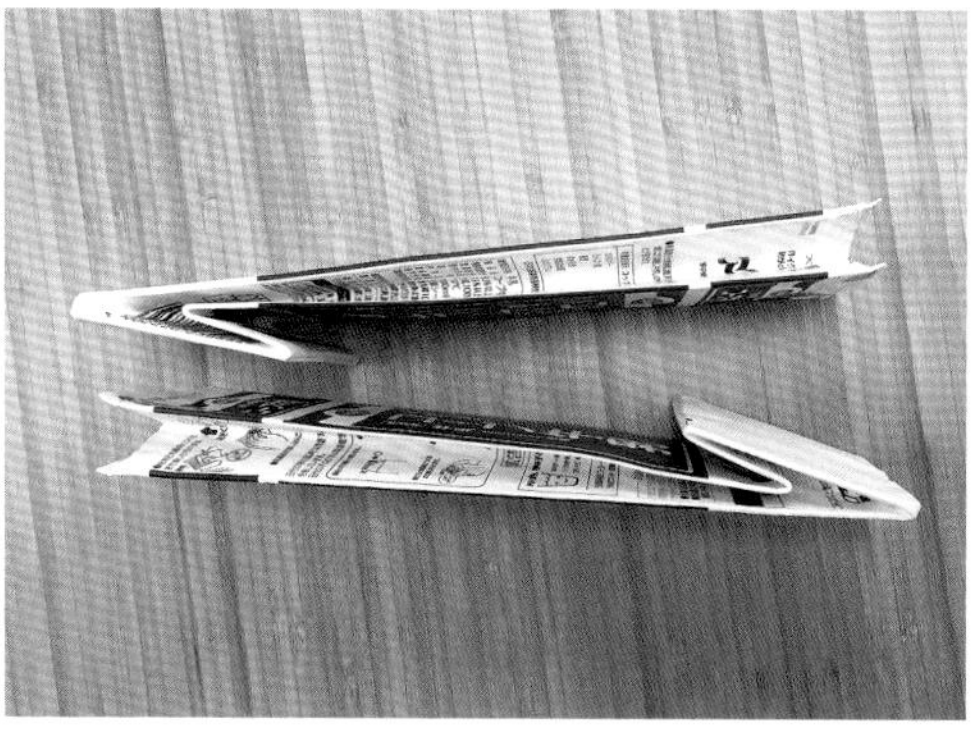

❷ ❶を5組用意して、1本の牛乳パックに詰める。これで1ブロック分のできあがり。

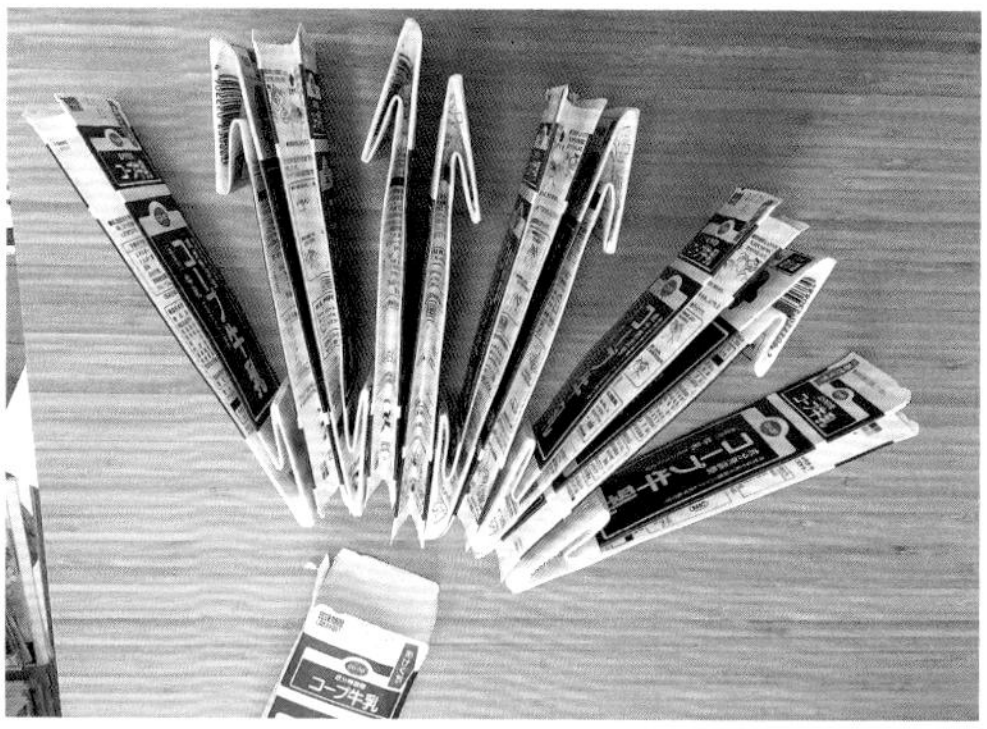

❸ ❷で詰めた牛乳パックが座面に向かって縦向きになるように3ブロック並べたものを2段重ねると、1人用のサイズになる。

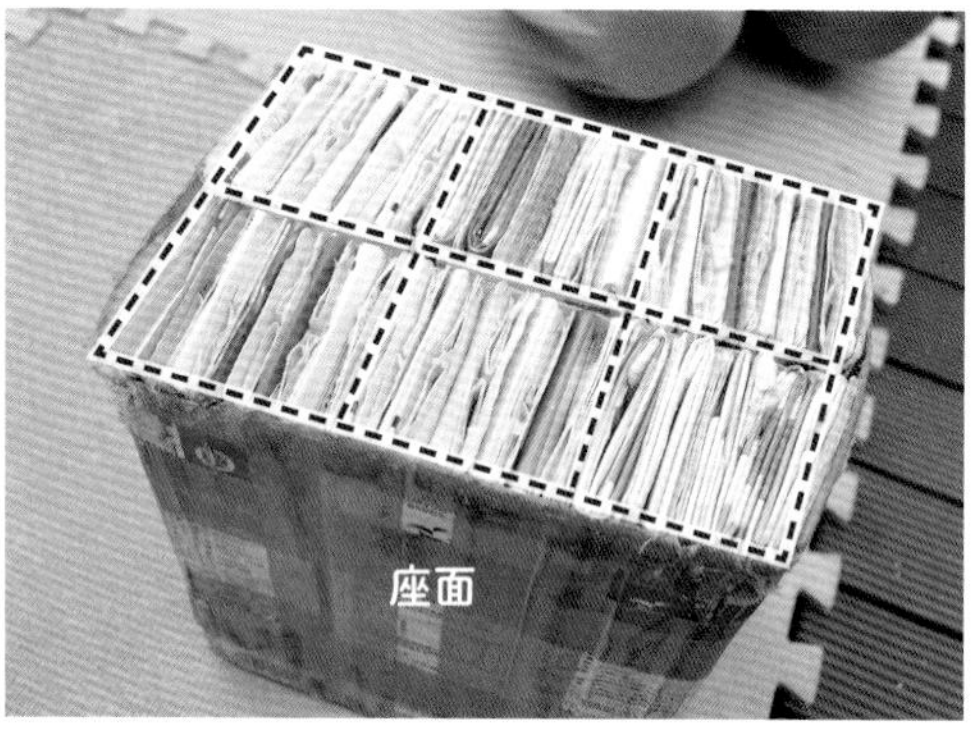

❹ 布テープなどをしっかりと巻き付ける（写真は12ブロックで2人用のサイズ）。肌ざわりのよい布などでカバーをかけてできあがり。

※ブロックの2段重ねが高い場合は、1段にして、カットしたウレタンシートなどを敷いて高さを調節するとよい。
※カバーは布製だと洗えるが、水が染み込むため、トイレトレーニング時期の子どもには、ビニールシートのカバーを付けると扱いやすくなる。

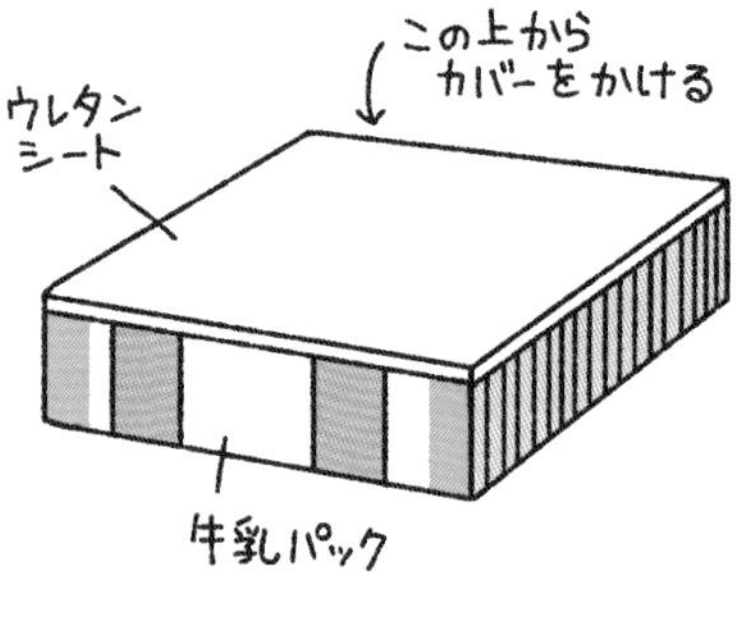

つくり方指導／辻いづみ（銀杏保育園）

第６章

排泄ゾーン

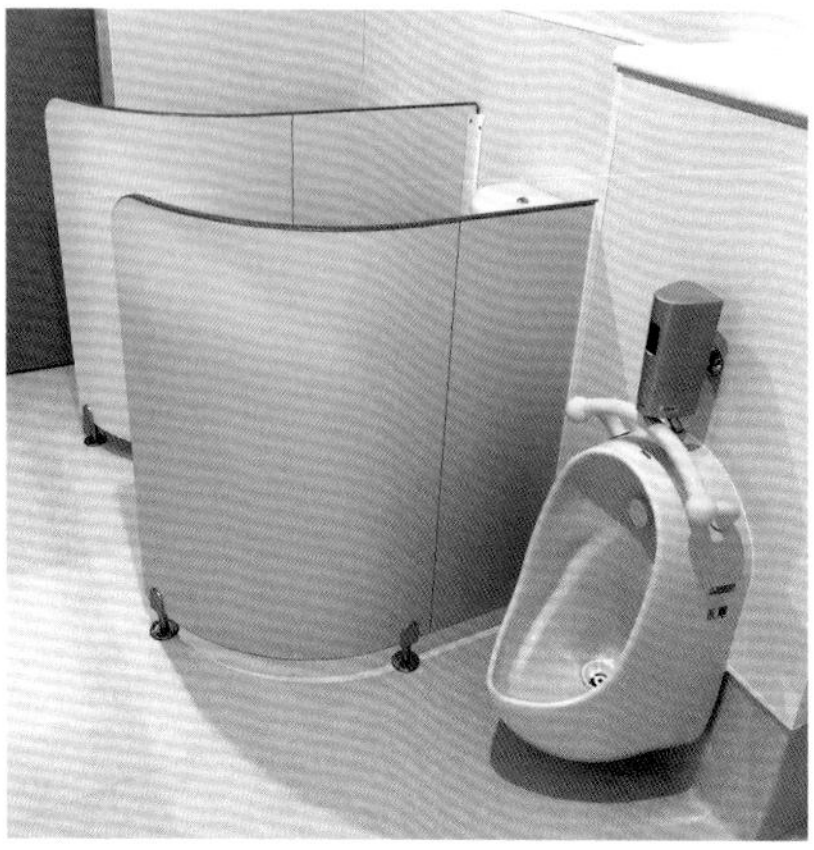

排泄ゾーン配置の基本

おむつ替えはいつも同じ場所で

家庭でのおむつ替えは、リビングだったり寝室だったり、場所を決めていないことが多いようですが、そのつど違う場所でしていると、子どもが「排泄」という行為を認識しづらくなります。

これは園でも同じです。もし、おむつ替えを嫌がるとしたら、排泄の習慣をまだ理解できていないと考えます。**場所を一定にすることで、「ここに来たら、おしっこ（うんち）をする」と意識できるようになり、それが子どもの主体性につながっていきます。**

衛生面での配慮

トイレの位置は原則、移動できません。今ある位置を基本に、遊び→食事→排泄→睡眠という生活の流れがスムーズになるように調整します。

おむつ替えのスペースは、トイレトレーニングにもつながるよう、トイレの中に設置できるとよいでしょう。けれど、トイレ内にスペースがない、使い勝手が悪いなどの理由から、保育室内にある園も少なくありません。その場合は棚などで目かくしをするなど、食事ゾーンや調乳室とは離して配置します。また、汚れものなどを管理しやすいよう、衣類整理棚が近くにあると便利なので、受け入れゾーンとの動線を考えるとよいでしょう。

子どものプライバシー

あまりに開放的な空間は、プライバシーの観点からも問題です。「見られたくない」という子どもの気持ちに寄り添うなど、乳児でも個人の尊厳を守らねばなりません。

おむつ替えやおまるを使った排泄を、その場その場で行っている園もあるようですが、プライバシーが守られにくいことからも避けたほうがよいでしょう。

配置のポイント

1 いつも決まった場所で排泄やおむつ替えができるようにする

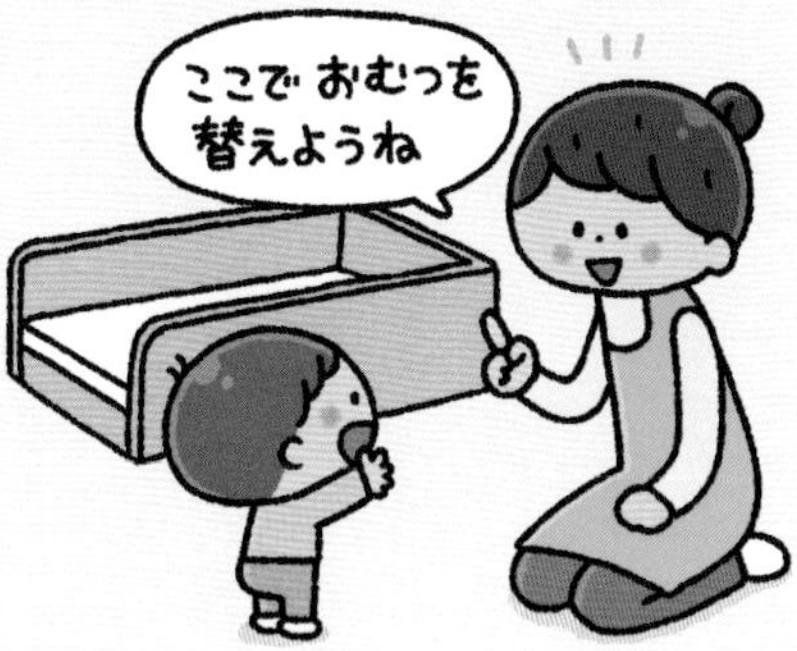

2 衛生面から、食事ゾーンや調乳室から離す

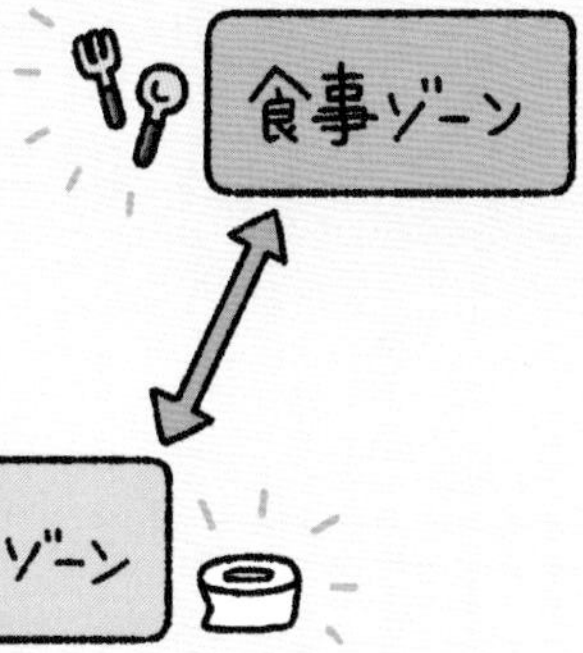

3 衣類などの管理をしやすい配置にする

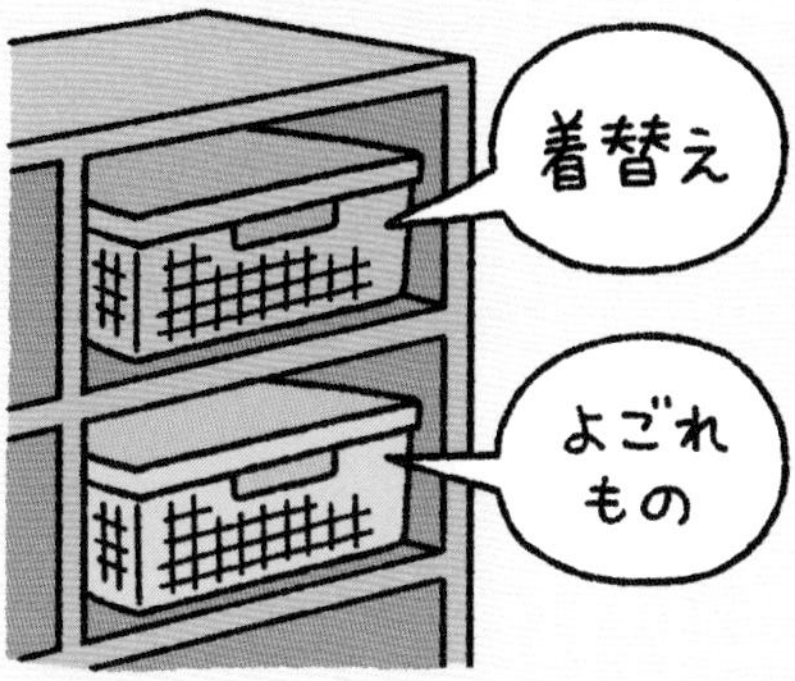

4 子どものプライバシーを守る

家具の置き方

おむつ交換台の高さ

排泄ゾーンには、便器、おむつ交換台、洗面台、介助に必要な用品を入れる棚などを設置します。クラスによって、必要な数、形状は変わります。

０歳児クラスでは、保育者は子どもと1対1で対応します。便器は1台あれば十分でしょう。

園で使われているおむつ交換台は、保育者が立ったままおむつ替えをできる高い台と、子どもが自ら歩いて向かうことのできる低い台があります。低い台は10㎝ほどの高さで、子どもが腰かけるとそのままコロンと仰向けになり、子どもの協力動作を誘うことができます。**協力動作とは、たとえば、おむつ替えの途中で子どもが自らおしりを浮かせたりすることです。こうした動作は、「してもらっている」から「自分でする」という意識の変化を表します。**

トイレのスペースにゆとりがあれば、交換台は高い台と低い台を1台ずつ用意します。2台置けない場合、高い台は保育室内に設置します。また、新しいおむつやおしり拭きなどの介助用品が、おむつ替えを行う態勢のまま、すぐ手に取れるようにしておくと便利です。保育者の負担になる要素があれば、見直していきましょう。

順番を待つ子どもの居場所

1歳児クラスになると、保育者1人が子どもを2〜3人連れてトイレに行く場面が増えてきます。子どもが18人までのクラスの場合、1歳児クラスは便器2台、おむつ交換台は低い台を1台。2歳児クラスは便器3台、おむつ交換台が必要なら低い台を1台が目安です。

また、子どもが順番を待つための居場所として、「お座りの椅子」（84〜86ページ参照）をそばに置くとよいでしょう。

家具の配置例

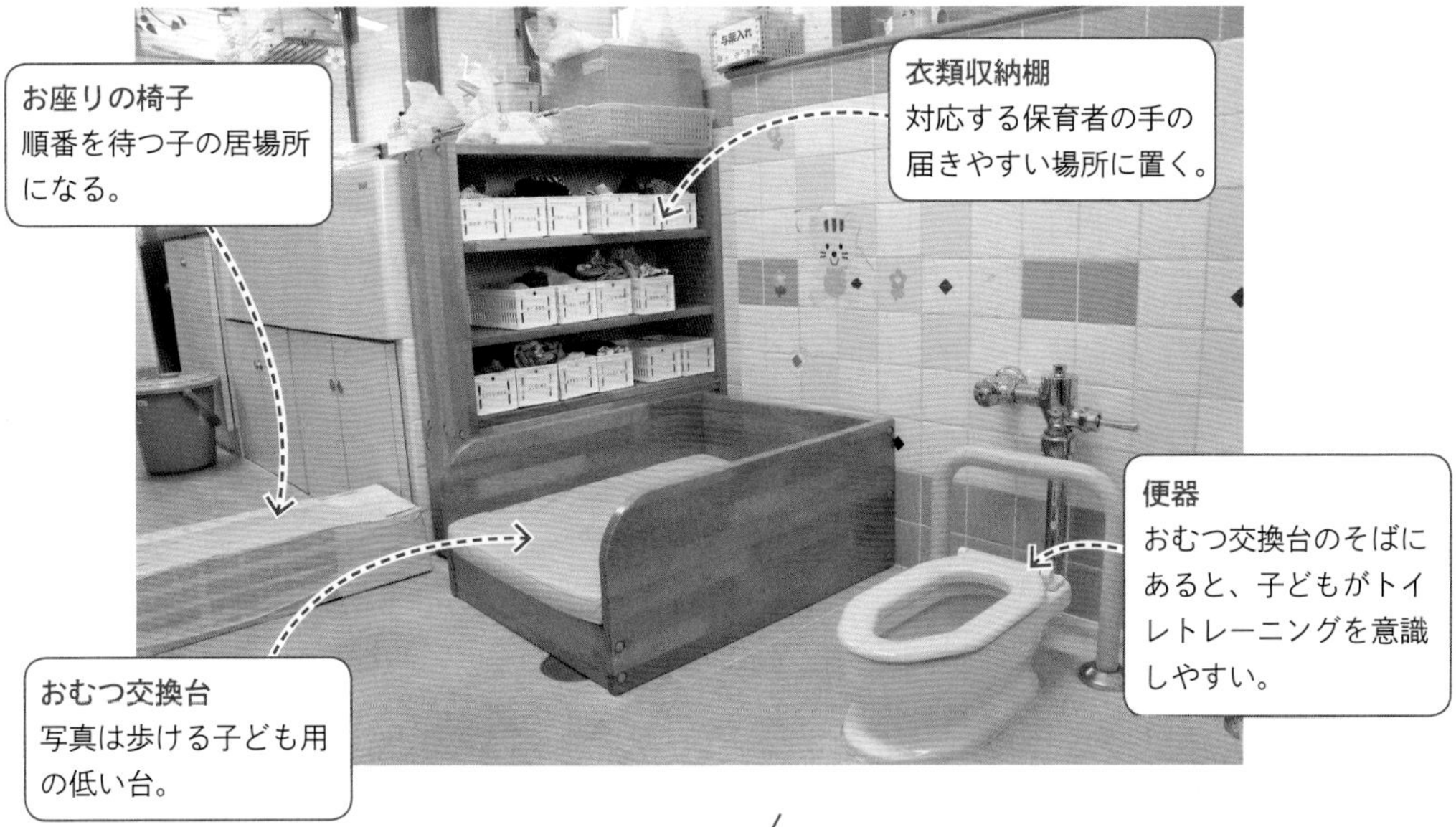
お座りの椅子
順番を待つ子の居場所になる。
衣類収納棚
対応する保育者の手の届きやすい場所に置く。
便器
おむつ交換台のそばにあると、子どもがトイレトレーニングを意識しやすい。
おむつ交換台
写真は歩ける子ども用の低い台。

子どもの自信が育つ

おむつ替えの手順

1．子どもがおむつ交換台に腰かけたら、「おむつを替えようね」と声をかけてズボンを脱がせる。

2．子どもの両手を取り、ゆっくりと寝かせる。

3．子どもが自分からおしりを浮かせたら（協力動作）、新しいおむつを下に差し込み、交換する。

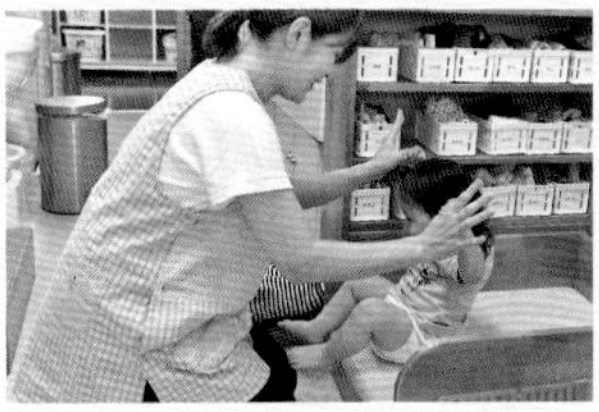

4．交換が終わったら、子どもの両手を取り、起き上がらせる。

5．可能なら、子どもにズボンを上げてもらい、保育者はさりげなく手を添えて援助する。

協力動作
おむつ替えで子どもが自然とおしりを浮かせたり、シャツを着る時に自然と頭を出したりするような動き。保育者が何も言わなくても協力動作が出てくるようになったら、「自分でやっている」という意識の変化を表す。
保育者が子どものできることを奪わず、さりげなく手助けすることで、子どもの自信につなげていく。

column

子どもの不安に寄り添う進級に向けた環境づくり

進級先の部屋に移動しても、お気に入りのおもちゃで遊びに集中する子どもたち。この取り組みをするようになって、4月の保育室の様子が驚くほど落ち着いた。(隣保会第一こども園)

環境の変化は、よくも悪くも子どもに緊張感をもたらします。とくに進級時は、慣れ親しんだ部屋を移動するとともに、新入児が加わったり、担任が変わったり、物的・人的な環境が大きく変化します。戸惑い、時には泣いたり、これまでできていたことができなくなったりなど、不安定になる子どもも少なくありません。少しでも落ち着いて進級を迎えるためには、どうしたらよいのでしょうか。

まずは、進級と同時に部屋も担任も変わることが「当たり前」という思い込みをなくすことから始めてみることです。確かに、環境の変化に慣れていくことは、子どもにとっての「学び」になるかもしれません。しかし、ある日を境に、環境が一変するような出来事は、必要以上のストレスになってはいないでしょうか。

「子どもには高い順応性があるから問題ない」「甘やかさず試練を与えることも大切」という考え方もありますが、これまで慣例で行ってきたことが、果たして子どもにとって最善の方法であるかど

就学への不安を少しでも和らげてほしいと、５歳児の１～２月から机と椅子で過ごす「学校ごっこ」。「ごっこ」としているのは遊びの延長になるよう配慮しているため。（大久野保育園）

うか、立ち止まって考えてみることも大切です。保育・教育の現場で様々な問題が取り上げられる昨今、子どもにかかわる私たちには、「当たり前」と思ってきたことを疑ってみるような、発想の転換や柔軟性が求められていると思います。そこで、不安を感じている子どもを中心に、ゆるやかに環境を変化させていく配慮を考えます。

「当たり前」を払拭し、進級前の3月、その時点でのクラスの人間関係を保ちながら部屋だけ次年度のクラスに移動することで、子どもが安心して進級を迎えられるようにしている園があります。

慣れ親しんだ保育者との関係を、急には断ち切らないことで、情緒を安定させている。（くらき永田保育園）

たとえば、3月の初めに、子どもと担任がそれまで使っていたおもちゃを持って進級先の部屋に移動し、新しい部屋で1か月を過ごします。4月になったら担任は変わりますが、子どもたちはすでに新しい部屋で過ごすことに馴染んでいるというしかけです。部屋と担任が一度に変わるより、子どもたちの心の負担は少なくてすみます。

実際、3月に部屋を移動した時は、新しい環境に慣れない子どももいるようですが、親しんだ保育者とおもちゃの存在があることで、すぐに落ち着いて過ごせるようになるそうです。

4月になると、新入児が加わったり、保育者が変わったり人数が減ったりしても、3月中に安定した生活リズムがつくれているので、食事・睡眠・排泄などの生活全般もそれまでと変わらずに過ごすことができるそうです。新しいおもちゃを加えた時も、興味や意欲を示して遊び込む姿も見られます。

こうした環境づくりは、新入児にとっ

進級への手順

3月（前半）

進級先の部屋へ移動する

新しいお部屋だよ

日常的に遊んでいるおもちゃを持って、現在の担当保育者と一緒に部屋を引っ越す。

3月（後半）

保育者やおもちゃを徐々に入れ替え

交代

新しい部屋に慣れてきた頃、保育者とおもちゃを徐々に入れ替える。保育者は、できれば前年度から新年度に持ち上がる人を１人は残すようにする。

4月

新年度が始まる

新年度の準備が整い、落ち着いた環境の中に新入児が入園してくる。

落ち着いて新年度を迎えられます

ても有効です。落ち着いた環境の中に入ることで、不安な気持ちを増幅せずにいられるのでしょう。さらには、その保護者ともゆっくり関係をつくっていくことができるそうです。進級児が安定して過ごしている姿は、新入児の保護者の安心にもつながります。

　さらに、0・1・2歳児にはまだ先のことですが、小学校への就学を見据えて活動をしている園もあります。5歳児が移動した部屋には、小学校にあるような机と椅子を並べて、そこで1か月過ごすのです。

　このような取り組みを行うにあたって大切なのは、保護者の理解を得ることです。保護者の中には、3月中に部屋を移動することを「今までの部屋から追い出される」ととらえる人もいます。あくまでも子どものための取り組みなのだということを、保護者会やおたよりなどで説明しましょう。疑問があれば丁寧に答え、保護者が不信感をもつことのないような努力が大切です。

[編著]
鈴木八朗

社会福祉法人久良岐母子福祉会くらき永田保育園（神奈川県横浜市）の園長。社会福祉士。東洋大学社会福祉学科卒業後、社会事業大学研究科を経て母子生活支援施設くらきの指導員となる。同施設の施設長在任時にくらき永田保育園の新設にかかわり現在に至る。趣味のアウトドアを活かし、「こども環境管理士」として、子どもの環境教育や自然体験の普及に努めている。おもな著書に『40のサインでわかる乳幼児の発達』（黎明書房）、『０・１・２さい児の遊びとくらし』（メイト）などがある。
ブログ『八朗園長の“遊びをせんとや生まれけむ”』
http://kids.starsol.jp/

[監修]

大原正裕（社会福祉法人遍照会 理事長）

髙野泰弘（社会福祉法人志正会 大久野保育園 園長）

辻いづみ（社会福祉法人くすの樹会 常務理事・銀杏保育園 施設長）

横山篤次（KUMAファクトリー 代表）

[取材・撮影協力]

社会福祉法人久良岐母子福祉会 くらき永田保育園（神奈川県横浜市）

社会福祉法人遍照会 幼保連携型認定こども園 遍照こども園（岡山県倉敷市）

社会福祉法人遍照会 遍照広尾保育園（東京都渋谷区）

社会福祉法人志正会 大久野保育園（東京都西多摩郡）

社会福祉法人くすの樹会 銀杏保育園（神奈川県横浜市）

社会福祉法人くすの樹会 銀杏保育園胡桃館（神奈川県横浜市）

社会福祉法人旭川隣保会 幼保連携型認定こども園 旭川隣保会第一こども園（北海道旭川市）

社会福祉法人旭川隣保会 旭川隣保会第二保育所（北海道旭川市）

社会福祉法人旭川隣保会 保育所型認定こども園 旭川隣保会第三こども園（北海道旭川市）

社会福祉法人旭川隣保会 旭川隣保会乳児保育所（北海道旭川市）

社会福祉法人花窓堂 長房みなみ保育園（東京都八王子市）

デザイン
熊谷昭典(SPAIS)　佐藤ひろみ

イラスト
みさきゆい　宇江喜桜(SPAIS)

写真
野澤修(野澤写真事務所)　鈴木八朗　大原正裕　髙野泰弘　辻いづみ

保育室レイアウト考案
横山篤次

取材・執筆
鈴木麻由美(こんぺいとぷらねっと)

編集・製作
上井美穂(こんぺいとぷらねっと)

0・1・2歳児の学びと育ちを支える保育室のつくり方
－5つのゾーンで構成する保育環境－

2020年10月1日　初版発行
2024年5月1日　第8刷発行

編著者　鈴木八朗
発行者　柴田豊幸
発行所　株式会社チャイルド社
〒167-0052 東京都杉並区南荻窪4-39-11
TEL：03-3333-5105
印刷・製本　株式会社グラフィック

ISBN 978-4-925258-54-8　C2037

チャイルド社ホームページアドレス
https://www.child.co.jp/